L'ÉCOLE DE LA VIE

Catalogage avant publication de Bibliothèque et Archives nationales du Québec et Bibliothèque et Archives Canada

Millman, Dan

    [Hidden school. Français]

    L'école de la vie : un ouvrage qui s'inscrit dans la saga du guerrier pacifique

    Traduction de : The hidden school : return of the peaceful warrior.

    ISBN 978-2-89225-952-0

    1. Vie spirituelle. 2. Actualisation de soi. 3. Millman, Dan. I. Titre. II. Titre : Hidden school. Français.

BL624.M5414 2017   204'.4   C2017-940753-8

Adresse municipale :
Les éditions Un monde différent
3905, rue Isabelle, bureau 101
Brossard (Québec) Canada
J4Y 2R2
Tél. : 450 656-2660 ou 800 443-2582
Téléc. : 450 659-9328
Site Internet : www.umd.ca
www.facebook.com/EditionsUnMondeDifferent
Courriel : info@umd.ca

Adresse postale :
Les éditions Un monde différent
C. P. 51546
Greenfield Park (Québec)
J4V 3N8

Cet ouvrage a été publié en anglais sous le titre original :
THE HIDDEN SCHOOL : RETURN OF THE PEACEFUL WARRIOR
Publié par North Star Way
Édité par Simon & Schuster, Inc.
1230 Avenue of the Americas
New York, NY 10020
www.thenorthstarway.com
www.PeacefulWarrior.com

Copyright © Dan Millman, 2017
Tous droits réservés
First North Star Way hardcover edition June 2017

© Les éditions Un monde différent ltée, 2017
Pour l'édition en français
Dépôts légaux : 3ᵉ trimestre 2017
Bibliothèque et Archives nationales du Québec
Bibliothèque et Archives Canada
Bibliothèque nationale de France

Conception graphique de la couverture :
JANET PERR avec autorisation de Simon & Schuster, Inc.

Photo de la couverture :
© CRAIG GOODWIN / BLACK DIAMOND NOW PHOTOGRAPHY
avec autorisation de Simon & Schuster, Inc.

Version française :
JOCELYNE ROY

Photocomposition et mise en pages :
ANDRÉA JOSEPH [pagexpress@videotron.ca]

Typographie : Electra LH 13 sur 16 pts
ISBN 978-2-89225-952-0
(Édition originale : ISBN 978-1-5011-6967-0 et ISBN 978-1-5011-6969-4 [ebook] New York)

Financé par le gouvernement du Canada | Canadä

Gouvernement du Québec – Programme de crédit d'impôt pour l'édition de livres et l'aide à l'édition – Gestion SODEC.

IMPRIMÉ AU CANADA

DAN MILLMAN

AUTEUR DU *BEST-SELLER* INTERNATIONAL
LE GUERRIER PACIFIQUE

L'ÉCOLE DE LA VIE

Le retour du guerrier pacifique

UN MONDE 🏃 DIFFÉRENT

À chacun d'entre nous
qui cherche à vivre avec le cœur en paix
et l'esprit d'un guerrier.

« Jamais deux personnes
ne lisent le même livre. »

— Edmund Wilson

TABLE DES MATIÈRES

À PROPOS DU LIVRE ET DE L'AUTEUR

Le retour du Guerrier pacifique

L'*École de la vie* est un livre dans un livre, une quête qui s'inscrit dans une quête, et un pont entre deux mondes.

Dans cette conclusion tant attendue de la saga du *Guerrier pacifique*, un best-seller international, Dan Millman entraîne les lecteurs dans une quête spirituelle épique à travers le monde afin de trouver le lien entre la vie quotidienne et la possibilité transcendante.

Poursuivant le voyage entrepris dans *Le Guerrier pacifique*, Dan quitte Honolulu pour se rendre dans le désert des Mojaves. Il se retrouve ensuite dans une ville asiatique très animée pour ensuite s'enfoncer dans une forêt de la Chine profonde, toujours à la recherche du mystère d'une école cachée. Pendant qu'il traverse les continents, il découvre des leçons de vie qui échappent au commun des mortels – des révélations qui dessinent la voie d'une vie inspirée dans l'éternel présent.

En cours de route, vous ferez la connaissance de personnages remarquables et serez amené à réfléchir à la mort alors que vous explorerez la nature de la réalité, du soi, de la mortalité, pour finalement découvrir un secret aussi vieux que les racines du monde. Éveillez-vous au pouvoir caché du paradoxe, de l'humour et du changement. Découvrez une vision qui pourrait bien changer à jamais votre perception des promesses et du potentiel de la vie.

DAN MILLMAN est un ancien athlète champion du monde, entraîneur, instructeur d'arts martiaux et professeur au niveau universitaire. Après une quête intensive qui s'est étalée sur une vingtaine d'années, ses trouvailles sont devenues *La Voie du Guerrier pacifique* qu'il fait pleinement valoir dans ses livres et ses conférences. Son œuvre continue d'évoluer avec le temps de manière à répondre aux besoins d'un monde en constante transformation. Les 17 livres de Dan, dont *Le Guerrier pacifique*, ont inspiré et informé des millions de lecteurs dans 29 langues à travers le monde.

La version cinématographique éponyme, mettant en vedette Nick Nolte, est une adaptation du premier livre de Dan qui s'inspire de sa vie. Dan consacre la majeure partie de son temps à écrire et à donner des conférences. Ses discours, ses séminaires et ses ateliers s'adressent à toutes les générations et ont influé sur la vie de femmes et d'hommes de tous les horizons, incluant des leaders dans les domaines de la santé, de la psychologie, de l'éducation, des affaires, de la politique, du sport, du spectacle et des arts. Dan et son épouse, Joy, vivent à Brooklyn, New York. Ils ont trois filles et quatre petits-enfants.

PROLOGUE

« Les contes et les rêves sont les vérités fantômes
qui persistent lorsque les simples faits sont oubliés
et ne sont plus que poussière et cendres. »
— NEIL GAIMAN

En 1966, alors que j'étais étudiant, j'ai fait la connaissance d'un mystérieux pompiste dans une station-service. Je l'ai appelé Socrate et j'en parle dans *Le Guerrier pacifique*. Pendant le temps que nous avons passé ensemble, Soc m'a parlé d'une femme chamane hawaïenne avec qui il avait étudié de nombreuses années auparavant. Il m'a également parlé d'un livre qu'il avait perdu dans le désert, ainsi que d'une école cachée quelque part en Asie, l'école de la vie, mais les détails de ses récits se sont rapidement perdus dans les recoins de mon esprit.

Plus tard, lorsque j'ai obtenu mon diplôme, mon vieux mentor m'a laissé partir avec ces paroles : « Mon travail est terminé, fiston, mais tu as encore du pain sur la planche. » Au cours des années qui ont suivi, je me suis marié, je suis devenu père d'une petite fille, j'ai enseigné la gymnastique à l'Université Stanford, et puis les arts du mouvement au Collège Oberlin.

Huit ans avaient passé depuis ma rencontre avec Soc à la station-service ouverte toute la nuit où il travaillait. Vue de l'extérieur, ma vie semblait aussi bonne que lorsque j'étais un athlète de haut niveau à l'université. Mais j'étais hanté par la certitude de rater quelque chose d'important – j'avais le sentiment que la *vraie* vie passait à côté de moi pendant que je jouais à m'inscrire dans le carcan superficiel des conventions. Entre-temps, ma femme et moi avons décidé d'un commun accord de nous séparer.

Et puis, j'ai obtenu une bourse universitaire qui m'a permis de voyager dans le monde entier et de faire de la recherche sur les arts martiaux et les disciplines de la relation de l'esprit et du corps. Cette occasion a ravivé mes souvenirs et j'ai pensé que je pourrais peut-être trouver les gens et les lieux dont Socrate m'avait parlé autrefois. Je pourrais conjuguer mes recherches professionnelles et ma quête personnelle.

Ce livre, qui raconte mon périple autour du monde, commence immédiatement après mon aventure à Hawaï (racontée dans *Sacred Journey of the Peaceful Warrior*) et se termine juste avant la conclusion percutante du *Guerrier pacifique*.

Après cette première étape de mon voyage à Hawaï, j'avais maintenant les yeux tournés vers le Japon. Mais c'était avant que je fasse une découverte fortuite dont ce proverbe est la preuve : « Chaque fois que l'on veut faire quelque chose, il faut d'abord faire autre chose. »

Tout a commencé un matin pluvieux de septembre…

PREMIÈRE PARTIE

Un livre
dans le désert

« Luttez sans violence pour un monde meilleur,
mais ne croyez pas que cela sera facile ;
vous ne foulerez pas un tapis de roses.
Les pèlerins de la justice et de la paix
doivent s'attendre à devoir
traverser le désert. »

— DOM HÉLDER CÂMARA

1

Un tourbillon de feuilles dans l'aube grise attira mon regard à travers la fenêtre constellée de gouttes de pluie de ma chambre de motel sur l'île d'Oahu. Les nuages sombres épousaient mon humeur alors que je flottais entre ciel et terre, déraciné, perdu dans un entre-deux. L'été passé sur l'île de Molokai en compagnie de Mama Chia avait filé à toute vitesse. J'avais encore neuf mois de liberté avant de reprendre mon poste d'enseignant.

Foulant le sol recouvert de moquette, uniquement vêtu d'un sous-vêtement, je me suis soudain immobilisé et j'ai jeté un coup d'œil à mon reflet dans le miroir de la salle de bain. *Ai-je changé?* me suis-je demandé. Ma charpente musclée – un héritage de la pratique de la gymnastique pendant mes études et les récents travaux que j'avais effectués sur l'île de Molokai – restait la même. Tout comme mon visage basané, mon menton volontaire et mes habituels cheveux ras, coupés de la veille. Seul le regard que me renvoyait la glace me semblait différent. *Est-ce que je ressemblerai un jour à mon vieux mentor, Socrate?*

Dès mon arrivée sur l'île d'Oahu quelques jours plus tôt, j'avais téléphoné à ma fille de sept ans qui, toute excitée, m'avait dit: «Je vais voyager comme toi, papa!» Avec sa mère, elle irait séjourner chez des parents au Texas pendant quelques mois, peut-être plus. J'ai encore une fois composé le numéro qu'elle m'avait donné, mais personne n'a répondu. Je me suis donc assis et lui ai écrit une petite note au dos d'une carte postale en signant avec des *x* et des *o*, pleinement conscient que cela ne remplaçait pas de vrais baisers. Ma fille me manquait; mais cette décision de voyager pendant de longs mois n'avait pas été prise à la légère. J'ai glissé la carte postale dans un cahier relié de cuir que j'avais acheté quelques jours auparavant afin d'y consigner mes notes de voyage. Je posterais la carte plus tard, à l'aéroport.

Il était maintenant temps de faire mes bagages. J'ai sorti mon sac à dos usé du placard et j'en ai vidé le contenu sur le lit: deux pantalons et des tee-shirts, des sous-vêtements et des bas, une veste légère, une chemise sport avec col pour les occasions spéciales. Des chaussures de sport complétaient cette garde-robe minimaliste.

J'ai soulevé la statuette de bronze de 25 centimètres, représentant un samouraï, que j'avais trouvée sur la côte de Molokai – un signe qui me disait d'aller au Japon, une destination qui me faisait rêver depuis longtemps et où je pourrais acquérir une meilleure compréhension des arts martiaux et du *bushido*, la voie du guerrier. Je partirais également à la recherche de l'école cachée que Socrate m'avait mis au défi de trouver, l'école de la vie. Mon vol vers le Japon était prévu le lendemain. Pendant que je remplissais mon sac en y insérant mon cahier, le samouraï et mes vêtements, je pouvais toujours sentir l'odeur du riche sol rouge de la forêt tropicale hawaïenne qui l'imprégnait.

Quelques minutes plus tard, réalisant que je pourrais facilement oublier la carte postale que j'avais glissée dans mon cahier, j'ai ouvert la fermeture éclair du sac et j'ai tenté d'en extraire mon cahier sans déplacer mes vêtements soigneusement pliés. Il était coincé au fond. Frustré, j'ai tiré plus fort. Mais son fermoir a dû accrocher la doublure ; j'ai entendu un bruit de déchirure. J'ai exploré l'intérieur du sac et j'ai senti un léger renflement là où la doublure s'était déchirée. Entre cette dernière et la toile, j'ai trouvé une enveloppe épaisse. Un bref message de Mama Chia était inscrit sur celle-ci.

> Dan, Socrate m'a demandé de vous donner cette lettre lorsque j'estimerai que vous êtes prêt.

Prêt pour quoi ? me suis-je demandé en me représentant les cheveux argentés de mon éducatrice hawaïenne, son sourire franc et son corps massif drapé d'un muumuu à motifs floraux. Intrigué, j'ai ouvert l'enveloppe et j'ai commencé à lire la lettre de Socrate.

> *Dan, il n'y a pas de remède à la jeunesse à part le temps et la perspective. Lorsque nous nous sommes rencontrés, mes paroles ont virevolté autour de toi comme des feuilles dans le vent. Tu voulais écouter, mais tu n'étais*

pas encore prêt à entendre. J'ai senti que tu éprouvais de la frustration et que l'exercice était difficile pour toi parce que tu t'estimais plus sage que tes pairs.

Si Chia t'a donné cette lettre, c'est que tu te tournes probablement vers l'orient pour trouver des réponses. Mais si tu n'y vas qu'en tant que curieux, ta récolte sera dérisoire. N'y va que si tu es en mesure d'apporter de la valeur à la table de la sagesse. Et je ne suis pas seulement d'humeur poétique ici. Tu devras d'abord trouver un livre que j'ai perdu dans le désert il y a des décennies de cela.

C'est certainement l'une des farces de Socrate, ai-je pensé, imaginant son visage impassible, l'étincelle dans ses yeux. *Il veut que je cherche un livre dans le désert au lieu d'aller au Japon ? Quel désert ?* Un soupir s'est éteint dans ma gorge alors que je poursuivais ma lecture.

J'ai le sentiment que ce que j'ai écrit dans ce journal pourra te servir de pont entre la mort et la renaissance, et même de porte d'entrée vers la vie éternelle – ou te fournir des connaissances essentielles pour achever ta quête. Je ne suis sûr de rien, car son contenu exact et le lieu où il se trouve sont perdus dans les méandres de ma mémoire.

L'histoire de son origine est liée à mon histoire personnelle : je suis né en Russie il y a près d'un siècle et j'ai suivi une formation de cadet dans une école militaire. Beaucoup plus tard, sur la voie du guerrier, j'ai fait la connaissance d'un groupe de maîtres dans la région du Pamir : un roshi zen, un soufi, un taoïste, un maître de la kabbale, une religieuse chrétienne. Ils m'ont offert la connaissance et une formation dans les arts ésotériques, mais il me faudrait ensuite des années pour assimiler leur enseignement.

Au milieu de la quarantaine, j'ai immigré aux États-Unis. C'était vers la fin de la Première Guerre mondiale. J'ai suivi des cours du soir et je me suis consacré à la lecture, à l'écriture et à l'apprentissage de l'anglais, comme tout bon Américain. Par la suite, j'ai trouvé du travail dans le domaine de la construction, et puis de la mécanique automobile, pour laquelle j'avais des aptitudes. J'ai déménagé dans l'Oklahoma, où ma fille était enseignante. Après y avoir passé 10 ans, je suis retourné à New York.

Tard un après-midi, à l'âge de 76 ans, alors que je marchais dans ce qui s'appelle aujourd'hui Greenwich Village, je me suis arrêté sous l'auvent d'une librairie spécialisée dans le livre ancien que je connaissais bien, et à l'intérieur de laquelle j'ai été entraîné par une bourrasque de vent. Comme d'habitude, le tintement d'une clochette a annoncé mon arrivée et puis s'est estompé comme si elle avait été muselée par une couverture. L'odeur de moisi d'un millier de volumes remplissait l'air. J'ai avancé dans les allées étroites, j'ai ouvert quelques livres dont la couverture craquait comme des articulations arthritiques. En temps normal, je ne me serais pas souvenu de tels détails, mais ce qui est arrivé ce soir-là est resté gravé dans ma mémoire de façon indélébile.

Mon regard a été attiré par la plus vieille femme qu'il m'avait été donné de voir. Elle était assise à une *petite table. Pendant que je la regardais, elle a posé la main sur ce qui ressemblait à un mince journal intime, le type de journal qui se ferme avec une sangle de cuir et un fermoir à clé. Elle a feuilleté l'un des nombreux livres qui se trouvaient sur la table, et puis a saisi un stylo comme si elle s'apprêtait à prendre une note. Au lieu de quoi, elle s'est tournée et a levé les yeux vers moi.*

Ses yeux étaient jeunes pour un visage si ridé. Ils brillaient sous des sourcils broussailleux. Sa peau ressemblait au cuir de son cahier. Elle aurait pu être hispanique, amérindienne, ou même asiatique. Son visage semblait changer dans la lumière dansante. J'ai incliné la tête et me suis tourné vers la sortie, mais elle s'est adressée à moi. À ma grande surprise, elle a utilisé un surnom qui datait de mon enfance – celui-là même que tu m'as donné.

« Socrate.

— Vous semblez me connaître, mais je ne vous reconnais pas…

— Nada, a-t-elle dit. Je m'appelle Nada.

— Votre nom est Rien ? », ai-je demandé.

Son sourire a dévoilé les quelques dents jaunâtres qu'il lui restait.

Pour gagner du temps pendant que je cherchais le lieu et l'époque où j'avais fait sa connaissance, je lui ai demandé ce qu'elle écrivait.

Elle a posé une main sur mon épaule et a dit avec un accent espagnol : « Le temps est précieux. Mon travail est presque achevé. » Elle a écrit quelque chose sur un bout de papier et me l'a tendu.

« Venez me voir demain à cette adresse. Vous saurez quoi faire. » Et en se remettant lentement sur ses pieds, elle a ajouté : « Venez tôt. La porte sera ouverte. »

Le lendemain matin, juste après l'aube, j'ai trouvé l'immeuble où elle habitait, gravi une volée de marches grinçantes et frappé doucement à une porte située au bout d'un couloir faiblement éclairé. Pas de réponse. Elle m'avait dit que la porte ne serait pas fermée à clé. J'ai tourné le bouton et je suis entré.

Tout d'abord, j'ai cru que le petit studio était abandonné – la pièce était vide à l'exception d'un vieux tapis et de quelques coussins. On aurait dit la tanière d'un moine zen ou d'une religieuse catholique. Et puis, j'ai entendu de la musique si douce qu'elle aurait pu provenir d'une pièce adjacente ou de ma propre mémoire. Apercevant la lueur d'une lampe dans une pièce, je me suis avancé et j'ai senti une brise glaciale venant d'une fenêtre ouverte. J'ai trouvé la femme affalée sur une table, la tête posée sur ses bras repliés. Il y avait près d'elle un livre ouvert, son journal, et la clé du fermoir. Un stylo était tombé de ses doigts noueux. Son bras était froid et sec comme du parchemin. Il ne restait d'elle qu'une enveloppe vide.

Alors que je tendais la main pour toucher ses cheveux clairsemés, la lumière du soleil a éclairé son visage, lui donnant un éclat éthéré. C'est là que je l'ai reconnue.

J'avais 35 ans lorsque j'ai rencontré Nada. À cette époque, elle s'appelait Maria – une mystique chrétienne espagnole qui faisait partie de mes maîtres lors du rassemblement à Pamir. Elle m'avait reconnu, près de 40 ans plus tard, dans la librairie. Je n'avais pas réussi à me souvenir d'elle, et elle était donc devenue Nada.

Elle savait que sa fin approchait. Une enveloppe posée sur le bureau contenait un peu d'argent, assez pour veiller à l'inhumation de sa dépouille mortelle, je suppose. Sur le recto de l'enveloppe, elle avait gribouillé trois mots : « Crémation. Aucune parenté. » Et il y avait un numéro de téléphone. J'ai glissé le journal dans mon sac à dos et la clé dans ma poche. Après l'avoir regardée encore quelques instants et lui avoir adressé un adieu silencieux, j'ai quitté les lieux sans verrouiller la porte.

À mon retour dans mon petit appartement, j'ai eu le sentiment de sortir d'un rêve, mais le poids de son journal dans mon sac me ramenait bel et bien à la réalité. Après avoir utilisé le téléphone du hall d'entrée pour communiquer avec la maison funéraire dont elle m'avait laissé le numéro, je me suis assis avec le journal, mais je ne l'ai pas ouvert. Pas encore. Je n'allais pas l'aborder avec désinvolture, comme un roman de quatre sous. Malgré ma curiosité devant ce que cette religieuse mystique pouvait avoir écrit, je ne le lirais qu'après avoir répandu ses cendres aux quatre vents.

Quelques jours plus tard, au début de la soirée, j'ai récupéré la petite urne contenant tout ce qui restait de Maria, maintenant Nada.

À *l'aube le lendemain matin, je suis entré dans Central Park par la face sud, où je suis passé devant le rocher Umpire Rock pour me diriger vers le nord, longeant des sites et des plans d'eau familiers jusqu'à ce que j'arrive au Conservatory Garden, qui n'ouvrirait ses portes que quelques heures plus tard. Enjambant la clôture, j'ai trouvé un endroit tranquille où m'asseoir dans un petit jardin de cactus entouré d'épais buissons. Alors que le soleil se levait sur ces plantes du désert, j'ai éparpillé les cendres de Nada autour de moi.*

Après un moment de silence, j'ai sorti son journal et j'ai ouvert le fermoir. Le cahier relié de cuir s'est ouvert sur une page vierge. Je suis passé à la page suivante. Également vierge. J'ai tourné toutes les pages. Toutes vierges.

Ma déception initiale a fait place à l'amusement alors que je me remémorais le sens de l'humour dont faisait preuve Maria autrefois, et je me suis demandé si elle avait souri en faisant ce dernier geste, très zen.

Elle m'avait dit : « Vous saurez quoi faire », et j'avais d'abord cru qu'elle parlait de sa crémation et de l'épandage de ses cendres. Et en me disant que son travail était presque achevé, elle faisait référence à une vie bien remplie, qui touchait maintenant à sa fin.

J'allais fermer le journal lorsqu'il s'est rouvert à la première page. J'y ai vu un texte manuscrit gribouillé à la hâte, sous la date du 11 mars 1946 – le soir de sa mort. Sur cette page, j'ai trouvé deux messages qui m'étaient destinés, écrits pendant les derniers instants de sa vie.

D'abord, il y avait une histoire que je connaissais déjà. Mais je l'ai lue avec attention :

> *Un marchand de Bagdad envoie son serviteur au marché. Le serviteur revient, tremblant de peur. « Maître, j'ai été bousculé au marché et, en me retournant, j'ai vu la Mort. Elle a fait un geste menaçant dans ma direction et j'ai pris mes jambes à mon cou. Je vous prie de me libérer et de me prêter un cheval. J'irai dans un endroit que je connais à Samarra où je pourrai me cacher. »*
>
> *Le maître lui a prêté un cheval et le serviteur s'est enfui.*
>
> *Plus tard, le marchand a aperçu la Mort dans la foule et lui a demandé : « Pourquoi avez-vous menacé mon serviteur ? »*
>
> *La Mort a répondu : « Je n'ai pas menacé votre serviteur. J'ai seulement été étonné de le voir ici à Bagdad, car j'ai rendez-vous avec lui ce soir dans la ville de Samarra. »*

Cette histoire à propos du caractère inéluctable de la mort n'avait rien de surprenant vu l'âge avancé de Nada et le fait qu'elle ait semblé voir venir sa fin. Mais pourquoi avait-elle voulu m'en parler dans ses derniers moments ? J'ai obtenu la réponse à cette question en lisant les deux dernières lignes au bas de la page :

Cher ami : Seule la mort peut vous ramener à la vie. Les pages vierges qui suivent attendent que vous les remplissiez avec la sagesse de votre propre cœ…

Le mot inachevé avait marqué son dernier souffle. Maintenant, je comprenais réellement ce qu'elle avait voulu dire par : « Vous saurez quoi faire ». Avec sa dernière requête et ses dernières directives, elle avait déposé sur mes épaules ce qui était à la fois une bénédiction et un fardeau.

Lorsque j'ai refermé le cahier et l'ai soulevé, j'ai eu le sentiment de la tenir dans mes bras, comme si son âme s'était échappée de son corps pour élire domicile dans ce livre.

2

Socrate n'avait certainement pas voulu que je parte dans le désert à la recherche d'un livre pratiquement vide ! *J'ai déjà un cahier vierge*, ai-je pensé en posant les yeux sur le journal qui avait déchiré la doublure de mon sac et qui avait mené à la découverte de sa lettre. Mon journal avait lui aussi un fermoir à clé, comme celui qu'il décrivait, et avait déjà l'air aussi usé que je me sentais en ce moment. J'ai respiré profondément avant de me replonger dans sa missive :

> *La « sagesse de votre propre cœur », avait-elle écrit. Que comprenait mon cœur ? Qu'avais-je appris qui valait la peine d'être partagé ? En me demandant de remplir les pages de ce petit cahier, Nada m'avait donné un but qui allait au-delà des préoccupations quotidiennes, mais aussi un but que j'avais peu d'espoir de pouvoir atteindre. Saurais-je écrire quoi que ce soit de significatif ? Cette idée me remplissait de doute.*

Assis dans ce jardin de cactus, le journal de Nada sur les genoux, je n'arrivais même pas à m'imaginer en train d'y écrire quoi que ce soit. J'ai alors songé qu'il était temps pour moi d'apporter un changement dans ma vie. J'ai décidé de traverser le pays, en passant par les déserts du sud-ouest, et de vivre le reste de mon existence sur la côte ouest des États-Unis. Et après m'être installé en Californie, ou dans l'Oregon, je songerais peut-être à prendre la plume.

Pendant les jours qui ont suivi, j'ai emballé mes effets personnels, j'ai fait le tour des librairies, et j'ai sillonné la ville une dernière fois. Mais les paysages qui m'absorbaient étaient intérieurs. Des pages de souvenirs se tournaient une à une. Ce qui m'a fait penser à toi, Dan, ainsi qu'aux défis et aux doutes que tu as dû affronter en tentant d'assimiler ce que je t'ai révélé et d'y donner forme.

Je me demande encore ce que peut faire un individu pour aider à améliorer ou à illuminer la vie d'un autre être humain. Je sais mieux que quiconque que la connaissance ne suffit pas à effacer les difficultés de la vie. Mais une compréhension plus approfondie et une perspective plus large peuvent nous aider à vaincre l'adversité avec plus de résilience et de courage. La tâche que je te confie maintenant – découvrir le livre que j'ai perdu – permettra de vérifier en quoi le temps que nous avons passé ensemble t'aura servi.

Cette lettre était indubitablement de Socrate. Lorsqu'il l'avait écrite, fort probablement quelques années seulement auparavant, il était toujours bien vivant et avait conservé son esprit vif. J'ai eu le sentiment de faire la connaissance d'un Socrate plus jeune pour la première fois. *Qu'est-ce qui l'avait poussé à me faire part si librement de sa vie intérieure?* me suis-je demandé. *Peut-être que je manquais à ce vieux bonhomme autant qu'il me manquait.*

Sur cette pensée, j'ai repris la lecture de sa lettre :

Pour t'aider à comprendre ce que ce journal a à t'offrir, et comment je l'ai perdu, permets-moi de revenir à mon histoire. Quelques jours après avoir quitté New York, je suis arrivé à Denver, au Colorado. De là, je me suis dirigé vers le sud où j'ai traversé les monts Sangre de Cristo avant d'arriver à Santa Fe, au Nouveau-Mexique. J'y suis resté quelques jours avant de me rendre à Albuquerque d'où je comptais aller vers l'ouest en empruntant la route 66.

À un peu plus d'une heure à l'ouest d'Albuquerque, le camionneur qui m'avait pris en stop m'a laissé non loin d'un pueblo en m'indiquant ce qu'il a dit être une école plus loin le long de la route.

Lorsque le nuage de poussière soulevé par le camion est retombé, j'ai aperçu quelques formes indéfinies à l'horizon, qui pouvaient aussi bien être une ville fantôme qu'un mirage. J'ai marché dans la direction que m'avait indiquée le camionneur avec l'intention de remplir ma gourde avant de revenir me poster sur le bord de la grand-route.

Quelques minutes plus tard, après avoir longé un gros rocher de granit et quelques petits cactus parés de fleurs magenta – c'est étrange comme les images me viennent à l'esprit –, je suis arrivé devant une école aux murs de mortier qui n'avait qu'une seule pièce. Des enfants jouaient dans une cour poussiéreuse qu'un jardin bien entretenu entourait.

Pendant que je remplissais ma gourde au moyen d'une pompe à main, une petite fille s'est approchée de moi et s'est présentée. Elle m'a fait toute une première impression en m'annonçant avec assurance qu'un jour elle enseignerait dans cette école. Je parle de cette petite fille, car elle pourrait être importante, parce que je la reverrais. Je crois qu'elle s'appelait Ama.

Je suis retourné sur la grand-route où j'ai été pris en stop jusqu'au lendemain soir. Dans le silence de cette immense étendue désertique, quelque part dans le désert des Mojaves en Arizona, ou bien après que je me sois aventuré vers le nord dans le Nevada, j'ai pensé à Nada et à ses cendres que j'avais dispersées dans le jardin de cactus. J'ai décidé d'établir mon campement pour la nuit à environ 50 mètres de la route.

Pendant, la nuit, je me suis réveillé à quelques reprises, transporté dans une réalité alternative, comme si j'avais ingéré du peyotl ou une autre plante psychotrope. Un déferlement d'idées inspirées a envahi mon esprit. Je me suis emparé du journal et j'ai commencé à écrire à la lueur de la lune.

En même temps, la température de mon corps a augmenté et je me suis trouvé plongé dans un état fiévreux qui a fait taire mon esprit conscient de manière à ce que les fruits d'une intuition plus profonde déferlent sur le papier. J'avais peine à suivre le rythme. Je ne me rappelle plus si mes phrases étaient complètes, ni même si elles avaient du sens. Alors que la fièvre me submergeait, j'ai continué à écrire, n'ayant plus conscience des mots eux-mêmes ni de ce qui m'entourait. J'avais des élancements dans la tête. J'étais étourdi et confus. Le désert était entré en moi, je sentais sa chaleur brûlante, et ensuite j'étais pris de frissons. Samarra, ai-je pensé. Ceci est Samarra.

Je n'ai qu'un vague souvenir de ce qui s'est passé ensuite : je me rappelle avoir erré le long de la route principale... écrit... dormi dans le lit asséché d'une rivière... écrit... trébuché et tombé... écrit encore... la nuit et le jour... Une journée est passée, peut-être deux ou trois, tournant le passé comme les pages d'un livre, du journal de Nada. Je me rappelle être descendu d'un camion, me cramponnant au sac qui contenait le cahier. J'ai peut-être parlé à un étranger, peut-être à plusieurs. À propos du journal et de ce que j'y avais écrit – à propos de la vie éternelle.

À un moment donné, peut-être par crainte que quelqu'un me prenne le journal ou que je le perde dans le désert, j'ai sans doute trouvé un endroit sûr où le cacher, avec l'intention de revenir le chercher. J'ai peut-être gravi une colline. Obscurité et lumière dansent dans ma mémoire. Un tunnel. Un lieu élevé. Et au-delà, rien.

La fièvre venait par vagues. Parfois, je me retrouvais plongé dans l'obscurité. D'autres fois, je vivais des moments de lucidité, je baignais dans des rayons de lumière. Une fois, je suis revenu à moi alors que je marchais en titubant le long d'une route dans le désert. Quelqu'un m'a alors pris en stop, et puis encore quelqu'un d'autre. J'avais dû traverser la voie sans m'en rendre compte, car j'ai voyagé vers le sud, et puis vers l'est, pour finalement revenir à Albuquerque.

La fièvre était si forte que j'arrivais seulement à me rappeler d'où je venais, et non où j'allais. Je me suis surpris plus d'une fois à marmonner, à parler avec des insectes et des animaux au milieu de paysages baignés de lumière, réels ou imaginaires. Et dans ce rêve éveillé est apparu un homme. Hispanique, je crois. Il a versé de l'eau sur ma tête.

Plus tard, j'ai senti un linge frais sur mon front. J'ai vu un plafond blanc. Je me trouvais dans un lit propre. Un jeune médecin m'a dit que j'avais frôlé la mort et que j'étais dans une clinique ou une infirmerie, à l'ouest d'Albuquerque. Peut-être près de cette école où je m'étais arrêté pour remplir ma gourde.

J'ai été très faible pendant un certain temps, basculant entre la conscience et l'inconscience. Mon sac à dos poussiéreux était posé sur une chaise à côté de mes effets personnels. Ce n'est que plus tard que j'ai réalisé que le journal avait disparu. J'avais le vague sentiment de l'avoir caché, mais j'ignorais où.

Après avoir quitté la clinique, j'ai voulu essayer de le retrouver afin de lire ce que j'avais écrit. Me dirigeant de nouveau vers l'ouest, je scrutais le désert à travers la *vitre des voitures et des camions dans lesquels j'étais monté, tentant désespérément de me rappeler où j'avais bien pu cacher le cahier, cherchant un point de repère familier, attendant un signe ou une intuition qui me pousserait à me retourner, à revenir sur les lieux de cette cachette.*

Même après m'être établi à Berkeley, en Californie, j'ai attendu patiemment qu'un souvenir ou une impression refasse surface. Mais je n'arrivais pas à raviver dans ma mémoire le moment ou le lieu. Peut-être n'étais-je pas destiné à retrouver le cahier. Cette lettre est le plus long récit que j'ai écrit depuis ces jours dans le désert. Pendant que je couche ces mots sur papier, des images apparaissent : un endroit sombre, un tunnel, la peau basanée d'un homme par le soleil, des rideaux blancs, la voix d'un enfant.

Je sais que je ne te donne pas beaucoup d'indices, Dan. Mais rappelle-toi ceci : « Où que tu fasses un pas, un chemin apparaîtra. »

« Un chemin apparaîtra ? », ai-je bafouillé. « Allons, Socrate, il y a sûrement autre chose ! » Mais s'il y avait eu autre chose, il s'en serait souvenu, et il l'aurait écrit.

J'ai repensé aux moments que nous avions passés ensemble. Les rares fois où il avait paru distrait, pensait-il à ce journal ou aux mots qu'il y avait écrits et qu'il avait oubliés ?

Donc, où tout cela me mène-t-il ? me suis-je demandé, revivant un instant de ma propre vie, juste avant que ma motocyclette emboutisse le pare-chocs d'une Cadillac qui m'avait coupé la voie, me catapultant sur le béton et me fracturant une jambe. Je me rappelle encore avoir pensé : *Ce n'est pas vrai.* J'avais le même sentiment maintenant. Tout ça n'avait aucun sens. Socrate n'avait aucune idée de l'endroit où il avait caché le livre. Et pourtant, il voulait que je le trouve. J'ai poursuivi ma lecture.

Ce que j'ai écrit dans ce journal pourrait t'être très utile. Ou ces mots ne pourraient qu'être le reflet des divagations d'un esprit fiévreux. Le voyage est sa propre récompense, Dan. Mais tu découvriras peut-être que ce trésor valait tes efforts. Laisse ta lumière intérieure te guider.

Bon voyage,

Socrate

Alors que je repliais les feuillets et les glissais dans l'enveloppe, j'ai pensé à la dernière fois où je l'avais vu en chair et en os. Il était alité dans un hôpital de Berkeley, en Californie. Il avait bonne mine, même s'il était un peu pâle, après avoir frôlé la mort. Il avait sans doute écrit cette lettre au cours des semaines ou des mois qui avaient suivi, et il l'avait envoyée à Mama Chia pour qu'elle la mette en sécurité.

J'ai regardé à l'extérieur où le soleil hawaïen transformait les feuilles des arbres en émeraudes, mais mon esprit était envahi par un sombre tourbillon de questions : *Pourquoi Socrate me confiait-il cette tâche ? Était-ce une initiation ou un test – sa façon de me passer le flambeau ? Où est-il tout simplement trop vieux pour entreprendre lui-même cette quête?* Lorsque nous nous étions rencontrés, il avait dit être âgé de 96 ans, et 8 ans avaient passé depuis. Et pourtant, je pouvais sentir sa présence et le voir essuyer ses mains tachées de cambouis avec un chiffon ou couper des légumes pour une soupe ou une salade qu'il préparait pour nous tard le soir dans le bureau de cette vieille station-service.

Dans sa lettre, il parlait d'Albuquerque, ainsi que d'une école et d'une infirmerie. Mais le désert des Mojaves (ou du Mojave) couvrait une partie de la Californie du Sud, de l'Arizona et du Nevada. « Seulement des milliers de kilomètres carrés à fouiller », ai-je marmonné d'un ton sarcastique, comme si Socrate était assis en face de moi. « Il suffit que je prenne l'avion jusqu'à Albuquerque, que je retrace les étapes de votre passage dans la région en roulant vers l'ouest jusqu'au désert des Mojaves, et puis que je me mette à creuser. »

Ou bien, ai-je pensé, *je peux m'en tenir à mon plan et aller au Japon.* J'avais mon billet d'avion. J'étais déjà à mi-chemin, alors que près de 5 000 kilomètres me séparaient des déserts du sud-ouest des États-Unis, et ce, dans la direction *opposée*.

Je savais que je ne pourrais pas me rendre dans tous les petits hôpitaux du Nouveau-Mexique et avoir accès à des rapports confidentiels, vieux de plusieurs décennies. *Ce que me demande Socrate n'est pas seulement difficile. J'ai déjà accompli des tâches ardues par le passé. Mais cette fois, c'est impossible!* Je me suis mis à faire les cent pas dans ma chambre, conversant encore une fois avec le vide : « Désolé,

Soc, pas cette fois ! Je ne passerai pas des mois à jouer le Don Quichotte des dunes, à regarder sous chaque caillou du désert. Je ne peux pas le faire. Je ne le ferai pas ! »

Pourtant, je ne pouvais pas ne pas tenir compte de ce qu'il avait écrit – sans le journal, j'arriverais au Japon les mains vides : « un chercheur mendiant, demandant la connaissance en aumône ». Et je n'avais encore jamais refusé quoi que ce soit à Soc. Et puis, je me suis souvenu de cette célèbre trilogie, *Le Seigneur des anneaux*, dans laquelle le petit Frodon s'était battu contre vents et marées, et contre toute raison. *Mais cette histoire est de la fiction,* me suis-je dit à moi-même. *Ce n'est pas la vraie vie !*

Socrate m'avait incité un jour : « Lorsqu'une occasion se présente, fais tes bagages. » Mes bagages étaient prêts – mais pour aller au Japon ! Tout était arrangé. Et si je n'avais pas trouvé sa lettre ? Et si elle était restée cachée dans la doublure de mon sac à dos ? Eh bien, j'*avais* trouvé cette lettre. Avec un profond soupir, je l'ai glissée dans mon journal encore vierge que j'ai ensuite placé dans mon sac.

Je ne cessais de me dire : Je *voulais* aller au Japon. Je ne *veux pas* partir à la recherche d'un livre mystérieux dans le désert. Socrate m'avait également mentionné : « Il vaut mieux faire ce que tu as à faire plutôt que de ne pas le faire et avoir une bonne raison. » Avais-je besoin de trouver ce journal ?

J'ai décidé d'y repenser à tête reposée le lendemain. Mais avant de m'endormir, je me suis encore une fois dit en moi-même que je devais poster la carte postale à ma fille lorsque j'arriverais à l'aéroport d'Honolulu – un lieu de départs, un lieu de décisions.

3

L e tourbillon d'incertitudes s'était calmé pendant la nuit. Dès mon réveil, j'ai su qu'il me fallait faire un effort – je le devais à mon vieux mentor, et peut-être aussi à moi-même. Donc, pour le meilleur ou pour le pire, sa lettre modifierait mes plans et peut-être le cours de mon existence. Mon billet ouvert me permettait d'annuler mon vol vers le Japon et d'en réserver un à destination d'Albuquerque.

À mon arrivée en sol américain, j'ai loué une vieille camionnette Ford auprès d'une agence anonyme, à d'excellentes conditions – un dépôt en espèces, pas de service routier d'urgence et facilité de retour. Et puis, j'ai trouvé un magasin de surplus où j'ai troqué mes chaussures usées contre une paire de bottes de randonnée. J'ai également acheté un grand sac de sport, une gourde, un chapeau à larges bords, une boussole, un canif, une lampe de poche, un sac de couchage léger, une pioche et une petite pelle, un écran solaire et un livre intitulé *Survivre dans le désert* qui n'a pas beaucoup contribué à accroître ma confiance. Après avoir enfoui mes achats dans le sac, je l'ai jeté sur le siège du passager. Dans la chaleur insistante du petit matin, j'ai trouvé refuge dans un motel des environs.

C'est donc au début de ma 28e année, du mois de septembre 1974, à Albuquerque, que j'ai sillonné les rues de la Vieille Ville par une journée torride, à la recherche d'habitants qui pourraient se rappeler de cliniques ou d'infirmeries qui existaient dans la région 30 ans auparavant. Après avoir relu le passage de la lettre de Soc où il parlait de la petite fille, j'ai visité quelques marchés d'aliments naturels et librairies indépendantes où j'ai demandé aux propriétaires s'ils connaissaient une certaine Emma, qui serait aujourd'hui dans la mi-trentaine et peut-être enseignante. J'ai pensé que quelqu'un qui avait été attiré par Socrate, même une petite fille, pourrait graviter autour de tels lieux. J'ai également demandé à des gens s'ils se souvenaient d'un homme appelé Socrate qui aurait été de passage dans la ville il y avait de cela des décennies. Je n'avais pas d'autres pistes.

Aucun des commis à qui j'ai parlé ne connaissait d'enseignante appelée Emma ni n'avait entendu parler de Socrate (autre que le philosophe grec). Des impasses et des pages blanches, une après l'autre. J'ai parlé à cette évanescente Emma dans ma tête, l'appelant à travers le temps et l'espace, m'enfonçant dans ce lieu où nous sommes tous connectés. *Où êtes-vous ?*

Plus tard cet après-midi-là, chez un petit disquaire, une vieille dame élégante a entendu mes questions et a dit :

« Pardonnez-moi, mais êtes-vous certain qu'elle s'appelle Emma ? J'ai déjà rencontré une femme prénommée Ama qui enseignait dans une école primaire à l'extérieur de la ville. »

J'ai trouvé une petite école à l'ouest de la ville. Un panneau sur la porte portait l'inscription suivante : « Fermé pour l'été ». Lorsque j'ai frappé, une réceptionniste est apparue. Elle m'a dit : « Une femme appelée Ama a enseigné ici pendant un trimestre, mais elle a déménagé. Je crois qu'elle a trouvé un poste d'enseignante dans l'une de ces écoles pueblos qui se trouvent à l'ouest, sur la route 66.

Je l'ai remerciée en me tournant vers la sortie, mais elle était déjà en train de soulever le combiné du téléphone sur son bureau. *C'est une dame occupée*, ai-je pensé.

J'ai dû me tromper de route, car au lieu d'arriver à une école, je me suis retrouvé devant une hutte en torchis devant laquelle j'étais déjà passé. En m'approchant de l'entrée, j'ai aperçu un panneau sur lequel était inscrit le mot « Souvenirs ». Des couvertures amérindiennes étaient accrochées sous un auvent de fortune procurant un peu d'ombre et, dessous, diverses sortes de poterie et d'artéfacts du désert étaient étalés. Dans un bac, j'ai vu des morceaux d'ambre dans lesquels étaient figés des scorpions et d'autres malheureuses créatures.

J'ai frissonné en contemplant les autres spécimens – une tarentule, une araignée-loup et la mortelle araignée recluse brune. Il y avait une étiquette sur chaque insecte ou reptile : scorpion d'écorce, uropyge, mille-pattes. Sur une tablette, un monstre de Gila naturalisé montait la garde.

Dans une autre caisse, j'ai vu, bien conservés, un diamantin, un serpent à sonnettes et un serpent vert des Mojaves, une espèce particulièrement venimeuse – toutes des bestioles du désert qui m'ont encore une fois amené à me demander ce que je faisais là.

J'ai sursauté lorsqu'une voix derrière moi a dit : « *Buenos dias.* Que puis-je faire pour vous ? » C'était la voix de Socrate, mais lorsque je me suis retourné, j'ai vu un vieil homme très différent. Son teint basané laissait deviner son ascendance amérindienne ou mexicaine. Il était assis au milieu de ses trésors, fixant l'air poussiéreux et enfilant des perles sur des fils qui bordaient le pourtour d'une couverture multicolore. Il paraissait aussi sec que le désert et il m'a fait penser à la vieille religieuse que Socrate décrivait dans sa lettre.

« Euh, oui… Eh bien, je cherche une femme qui s'appelle Ama. Je crois qu'elle est enseignante. »

Rien dans l'attitude du vieil homme ne m'a laissé croire qu'il avait compris. Il a seulement saisi une autre perle, d'un geste lent et gracieux.

M'efforçant de me rappeler l'espagnol que j'avais appris à l'école secondaire, j'ai dit de façon hésitante : « *¿ Señor, sabe usted… euh, dónde está… una escuela pequeña… y una señora, euh… con nombre Ama ?* »

Son regard s'est illuminé et il s'est redressé « *Ah, la señora Ama. Sí, una mujer muy fuerte, muy guapa.* »

Bien sûr, il la connaît, ai-je pensé, secouant la tête devant cette étrange coïncidence. Une lueur d'espoir. « *¿ Dónde está… ?* » Ma langue trébuchait sur les mots.

« *Mi hermano*, m'a-t-il interrompu, comme vous nagez dans l'espagnol comme mon oncle Brigante qui s'est noyé dans une rivière il y a de nombreuses années, il serait peut-être préférable que nous parlions anglais.

— Euh, oui. Je lui ai souri. Ça faciliterait les choses. » M'avançant pour lui serrer la main, je me suis présenté.

Ne faisant aucun geste pour prendre ma main, il a dit : « Je vous avais pris pour un Grec.

— Pourquoi donc ?

— Lorsque vous avez parlé, un nom grec m'est venu à l'esprit.

— Quel nom ? »

Il a fait une longue pause avant de répondre. « Aimez-vous les énigmes ? Moi, je les aime beaucoup. J'en ai résolu plusieurs. Alors, permettez-moi de vous poser la même question. Nommez un Grec à qui vous pensez, et vous saurez à quel Grec je pense. »

Levant les yeux, j'ai regardé à travers une fenêtre au fond de la hutte. La banlieue d'Albuquerque ne se trouvait qu'à quelques centaines de mètres, obscurcie par la brume de chaleur qui s'élevait du désert. Avais-je abouti au pays des merveilles ? « Eh bien, Platon est un beau nom grec.

— Un professeur de mérite, a-t-il dit, fixant toujours le désert. Mais pour comprendre un professeur, vous devez connaître le professeur du professeur. »

Ce vieil *indio* qui parlait parfaitement anglais malgré quelques dents manquantes se moquait de moi. Il savait très bien qui avait été le professeur de Platon, et il savait que je le savais. « Socrate était le professeur de Platon », ai-je dit.

« Certaines personnes m'appellent Papa Joe, mais étant donné que vous avez résolu l'énigme du Grec, vous pouvez m'appeler *abuelo* et je vous appellerai *nieto* – petit-fils. » Regardant toujours au loin, il a tendu la main dans ma direction.

Avant de lui serrer la main, j'ai agité la mienne devant ses yeux et j'ai résolu une autre énigme. « Ah oui », a-t-il dit. « *Ciego como un murciélago, listo como un zorro.* » Et puis, il a traduit : « Aveugle comme une taupe, rusé comme un renard. » Il m'a fait un clin d'œil en ajoutant : « Nombreux sont ceux qui voient avec leurs yeux tout en demeurant aveugles à de nombreuses choses. Mes yeux ne voient rien, mais je vois beaucoup de choses.

— Que voyez-vous ? ai-je demandé.

— Je vois ce lieu où naissent les énigmes.

— Et qu'y a-t-il dans ce lieu ?

— C'est là une énigme que vous devrez résoudre. Mais je vais vous dire ceci : j'ai perdu la vue alors que j'étais encore un enfant. Je me suis tourné vers l'intérieur et, depuis, je m'élève. Et comment est *votre* vue, *nieto* ? Avez-vous des yeux pour trouver ce que vous cherchez ? »

Cela devenait bizarre, même pour moi. Nous étions des étrangers l'un pour l'autre. Tout ce que j'avais fait, c'était lui poser une question à propos d'une femme.

« Très bien, Papa Joe – *abuelo*. Pourquoi ne pas tout simplement jouer cartes sur table ?

— Vous aimez le poker ? a-t-il demandé indirectement.

— Tout ça n'a rien à voir avec le poker, mais avec la vie.

— N'est-ce pas la même chose ? », a-t-il demandé d'une voix semblable à celle du vieux maître Po dans la série télévisée *Kung Fu*.

Perdant patience, je lui ai demandé sans ambages : « Socrate, vous l'avez connu, n'est-ce pas ? Pouvez-vous m'aider à trouver une femme appelée Ama ? »

« ¿ *Pór qué* ? Pourquoi cherchez-vous cette femme ? », a-t-il demandé en se remettant à enfiler ses perles.

« Je crois que vous le savez. »

Il est demeuré silencieux, et j'ai donc poursuivi : « Elle a peut-être connu mon ami, mon mentor. J'espère qu'elle pourra m'aider à trouver… quelque chose. »

« Ah ! Vous cherchez *quelque chose* », a-t-il dit avec un regard entendu. « Eh bien, cela pourrait être difficile. Il y a beaucoup de *choses* dans le désert. »

« Comment savez-vous que ce que je cherche se trouve dans le désert ? ai-je demandé.

— Je ne peux pas voir. Et pourtant, je vois. Voyez-vous ce que je veux dire ?

— Vous aimez vraiment les énigmes, n'est-ce pas ?

— Vous trouvez ? », a-t-il répondu en m'adressant un autre sourire édenté.

« *Abuelo*, je vous en prie. Je sais que vous trouvez ça amusant, mais il faut que je parle à cette femme, Ama, et puis…

— J'apprécie votre passion, m'a-t-il interrompu. Vous avez le sens de la mission. Je n'ai que le sens de l'humour. Après neuf décennies de vie, les préoccupations des jeunes – l'opinion d'autrui, la quête de l'amour, le succès – tout cela ne me concerne plus. Ce qui compte pour moi, ce sont les divertissements. Ceci et le peu que je sais à propos de certaines *choses*. » Il a enfilé une dernière perle et a noué le fil.

Ayant achevé sa tâche, Papa Joe a dit : « Il y a bien quelque chose que je puisse vous dire à propos de *la mujer*, Ama.

— Ça pourrait m'être utile…

— Mais d'abord, je vous propose une énigme.

— Ce n'est pas vraiment le moment idéal pour jouer, *abuelo*.

— La vie est un jeu, a-t-il dit. Et le moment présent est toujours le meilleur moment. Lorsque vous n'avez pas le temps de jouer, vous n'avez pas le temps de vivre. Il faut que vous soyez capable de résoudre une sorte d'énigme en particulier. Alors, faites plaisir à un vieil homme en élucidant celle-ci. Et peut-être que je vous aiderai à trouver cette femme. » Tout en parlant, il a dénoué le nœud et a commencé à retirer les perles du fil.

« Et si je vous *promettais* de revenir tout de suite après ?

— Ah, mais nous ne savons pas ce que vous trouverez, si vous reviendrez, ou même si mon âme n'aura pas pris son envol entre-temps.

— Je comprends. Mais vous, comprenez-vous que je me sens pressé ?

— Que vous ayez des sentiments fait plaisir à entendre, *nieto*. La personne qui éprouve des sentiments sait qu'elle est vivante et que quelque chose lui tient à cœur. Mais les sentiments ne doivent pas gouverner votre vie ni la mienne. Je ne me préoccupe plus des drames de ce monde. Je les ai vus se dérouler sous diverses formes. Maintenant, j'attends la mort, car je pourrai de nouveau voir, comme dans mes rêves.

— Vous croyez ça ?

— Peut-être pas, mais *¿quien sabé ?* Dans cet intervalle de temps, chaque nouvelle journée apporte une autre occasion d'apprendre et d'être utile. Je peux peut-être vous aider. »

J'ai regardé les perles, maintenant éparpillées autour du fil dénudé.

« D'accord, ai-je dit, résigné. Quelle est cette énigme ?

— La voici, a-t-il dit en se penchant vers l'avant. Qu'est-ce qui est plus grand que Dieu et pire que le Diable ? Le riche le veut, le pauvre l'a, et si vous le mangez, vous mourez ?

— Quoi ? », ai-je demandé.

Papa Joe a de nouveau récité l'énigme.

« Je… n'en sais rien du tout, ai-je répondu.

— Vous n'êtes pas censé savoir. C'est pour cette raison que c'est une énigme », a-t-il dit.

Je me suis concentré. *Plus grand que Dieu. Et pire que le Diable. S'agissait-il d'un jeu de mots ?* « L'eau ? ai-je dit. Est-ce que c'est l'eau, *abuelo* ? Parce que, un jour, Gandhi a dit : "Si Dieu devait apparaître aux affamés, il n'oserait leur apparaître que sous forme de nourriture." Donc, aux yeux de celui qui se trouve dans le désert, l'eau peut sembler plus grande que Dieu. Ou si quelqu'un est en train de se noyer, l'eau peut lui paraître pire que le Diable.

— Bel essai, a-t-il répliqué. Mais ce n'est pas ça. » Il a recommencé à enfiler ses perles.

« Eh bien, alors, je suppose…

— Ne supposez pas ! a-t-il dit. Attendez de connaître la réponse avant de parler. »

Frustré par cette perte de temps, j'ai jonglé avec l'énigme, je me suis concentré, je l'ai examinée sous divers angles. Rien ne me venait à l'esprit. Pendant ce temps, Papa Joe enfilait une à une toutes ses perles. « Je donne ma langue au chat, ai-je dit. De toute manière, je ne peux pas consacrer une minute de plus à…

— Vous avez tout le temps qu'il vous faut pendant le temps qu'il vous reste, a-t-il dit.

— Très bien, ai-je dit d'un ton ferme. J'ai réfléchi, examiné, cogité et ruminé. Qu'est-ce que j'ai trouvé ? *Rien.*

— Voyez-vous ça ! », a-t-il dit alors que sa main s'éloignait du nœud qu'il venait de faire. « Vous êtes plus futé que vous en avez l'air », a-t-il ajouté avec une pointe d'ironie dans la voix. « Rien – *nada* – est la bonne réponse. »

Il m'a fallu un moment pour comprendre. « Bien sûr ! Rien n'est plus grand que Dieu ; rien n'est pire que le Diable ; le riche ne veut rien ; le pauvre n'a rien ; et celui qui ne mange rien meurt. »

Papa Joe était effectivement plus rusé qu'un renard – et il se pouvait bien que cette énigme en cache une autre. « *Abuelo*, connaissez-vous une femme qui s'appelle Nada ? »

Il a incliné la tête, comme s'il entendait une voix venant du passé. Il a souri. « J'ai connu de nombreuses femmes qui portaient divers noms. »

J'ai attendu. Après un moment de silence pendant lequel je n'ai pu que l'imaginer en train de se remémorer ces femmes, il m'a finalement indiqué un trajet détaillé.

4

Une heure plus tard, après avoir suivi les directives de Papa Joe sous une chaleur accablante, je me suis de nouveau retrouvé devant sa boutique de souvenirs.

« Je ne comprends pas, ai-je dit en m'essuyant le front. J'ai fait exactement ce que vous avez dit et me voilà revenu au point de départ !

— Naturellement », a-t-il expliqué en tournant son visage vers moi. « Je ne voulais pas perdre mon temps à vous expliquer où trouver l'école avant de savoir que vous étiez capable de vous orienter. » Et il a éclaté d'un rire triomphal qui l'a pratiquement jeté en bas de sa chaise. Après avoir retrouvé son calme, il a dit : « Comme je vous l'ai dit, *nieto* – les divertissements sont tout ce qui me reste. »

J'ai inspiré lentement et profondément. « Maintenant que j'ai fait la preuve de mon sens de l'orientation, auriez-vous l'amabilité de m'indiquer où se trouve l'école où Ama enseigne ou pourrait enseigner ?

— Bien sûr », a-t-il dit. En pointant le doigt vers l'ouest, il a énoncé : « Longez cette route. Entrez dans le village de Pueblo Acoma. Cherchez des enfants qui rient et qui jouent, et vous trouverez Ama.

— Merci, ai-je dit, plus calme. J'ai hâte de voir des enfants en train de jouer. J'ai moi-même un enfant – une petite fille. »

Son visage s'est éclairé. « ¡ *Un momento !* » Il s'est levé et est entré dans la boutique. Lorsqu'il est revenu, il tenait à la main une poupée kachina peinte en rouge et vert, et vêtue d'une petite cape de cuir. « Pour *su hija*, a-t-il dit. Je l'appelle la Femme Debout. Prenez bien soin d'elle. Une kachina peut aider en cas de besoin.

— Encore merci, *abuelo* », ai-je dit en glissant la poupée dans l'une des pochettes latérales de mon sac.

Se rassoyant, il a balayé de la main mes remerciements en prononçant l'habituel « de nada ».

— Nous nous reverrons peut-être.

— C'est possible, mais il est peu probable que je vous voie », a-t-il dit, s'amusant comme toujours de son humour.

Papa Joe et sa boutique ont rétréci dans le rétroviseur et ont bientôt disparu. S'il connaissait Nada, il ne m'en avait rien dit. Mais j'avais fini par apprendre où je pourrais trouver la femme appelée Ama.

Alors que la camionnette avançait en cahotant sur le chemin poussiéreux que j'avais emprunté en quittant la route principale, j'ai mentalement pris note d'acheter une autre carte postale et de l'envoyer à ma fille. Mais comment allais-je lui expliquer ma présence dans le sud-ouest alors que j'étais incapable de me l'expliquer à moi-même ?

Quelques minutes plus tard, j'ai aperçu une pancarte sur laquelle les mots Pueblo Acoma étaient peints à la main. Plus bas, en lettres plus petites, j'ai lu : « École primaire ».

Je me suis rangé en bordure de la cour et me suis dirigé vers la porte. Lorsque je suis entré, quelques enfants ont jeté un regard vers moi, souriant et murmurant. Leur professeure était debout près d'un vieux bureau. Son nom, Ama Chávez, figurait sur une petite plaque faite à la main. Le visage rébarbatif, une paire de lunettes sur le nez, l'air plus jeune que je m'y attendais, elle a dit d'une voix stridente : « On regarde devant ! » Elle m'a adressé un bref signe de tête et puis s'est tournée vers un vieux tableau noir et s'est mise à écrire avec une craie qui crissait. Entre-temps, plusieurs enfants – de 1re et 2e année, je suppose – ont regardé derrière eux et ont fait de moi un conspirateur dans leur plaisir.

Quelques minutes plus tard, le jour de classe a pris fin. Avant même que j'aie la chance de parler avec l'enseignante, une petite s'est précipitée vers moi. Elle devait avoir sept ans – l'âge de ma fille. Ses cheveux étaient attachés en queue de cheval avec un ruban jaune vif noué en boucle, ce qui m'a rappelé un moment embarrassant. Je m'étais endormi en espionnant Socrate et il avait noué un ruban similaire dans mes cheveux pendant que j'étais assoupi.

La voix de la fillette m'a ramené à l'instant présent. « Je m'appelle Bonita et ça veut dire belle en espagnol. Je suis belle, non ? », a-t-elle dit tout d'une traite. Et après une longue inspiration, elle a ajouté : « Bonita ne veut rien dire dans la langue Hopi, mais ce n'est pas grave parce que je ne suis pas hopi je suis à moitié hopi et à moitié mexicaine. Samatri, ma meilleure amie avec qui je suis fâchée aujourd'hui, dit que parce que je suis seulement à moitié hopi alors je suis seulement à moitié belle, même si je m'appelle Bonita. C'est quoi votre nom ? » Et avec la grâce d'une jeune fille raffinée, elle m'a lentement tendu la main.

« Je m'appelle Dan et, oui, tu es très *bonita* », ai-je répondu en prenant délicatement sa main dans la mienne. J'ai moi-même inspiré profondément, ce qui l'a fait pouffer de rire. Elle a alors retiré sa main pour se couvrir la bouche.

« Comment appelez-vous votre professeure, Ama ou Señora Chávez ? », ai-je demandé en indiquant la femme qui nettoyait le tableau noir. Murmurant comme moi, elle a dit alors que l'enseignante approchait : « Je l'appelle toujours *dulce*. Ça veut dire douce et c'est l'assistante de notre enseignante. » Et d'un ton soudain excité, Bonita a ajouté : « Señora Chávez n'est pas ici, mais elle reviendra bientôt parce qu'elle avait une course à faire. Je crois qu'il y aura une fête-surprise, mais ce n'est pas du tout une surprise. » Elle a respiré un grand coup. « Saviez-vous que c'est mon anniversaire et aussi celui de Blanca aujourd'hui ?

— Non, je l'ignorais. J'ignore beaucoup de choses.

— Vous allez aimer Señora Chávez, elle sait tout », a déclaré Bonita.

Environ une heure plus tard, juste après avoir effectué un appui renversé sur le bureau du professeur, j'ai vu une femme, la tête en bas, qui entrait dans la pièce en portant deux sacs de provisions. Même de ma position inversée, j'ai constaté qu'elle était séduisante. Plus important encore, elle était réelle – et ici ! J'ai vite reposé les pieds sur le sol. Me sentant comme un élève surpris à faire une sottise, j'ai commencé à m'expliquer.

Faisant un geste de la main, elle a dit : « Bonita m'a dit que vous me cherchiez. Vous pouvez m'expliquer vos bouffonneries pendant que je commence à décorer la salle.

— J'ai compris que vous fêtez un double anniversaire.

— Bonita parle beaucoup, a-t-elle dit. Une future chef d'antenne. Ou première dame.

— Déjà une première dame », ai-je dit en tendant le bras pour prendre l'un des sacs. Elle a hésité, son langage corporel envoyant un message clair : *bas les pattes, étranger*. Mais, changeant d'avis, elle m'en a tendu un et puis s'est dirigée vers une alcôve où se trouvait un petit évier.

J'ai posé le sac sur le comptoir et dit : « Mlle Chávez, j'espère que vous pourrez m'aider à trouver une chose que je cherche.

— Pouvez-vous être plus précis ?

— Vous voulez que je vous fasse un dessin ? »

J'ai cru déceler un léger sourire sur ses lèvres avant qu'elle ne se tourne pour sortir un gâteau et des décorations d'un sac. « Je suis désolée, a-t-elle dit. J'ai tellement l'habitude d'enseigner que j'ai oublié comment on parle à un invité-surprise qui vient m'aider à installer des décorations pour une fête d'enfants. »

Elle marquait un point. J'en suis donc venu au fait. Alors que je fixais aux murs des banderoles de papier gaufré décoratif bleu et orange, j'ai dit : « J'ai un mentor à qui j'ai donné le nom d'un Grec ancien… »

Je sentais son regard sur ma nuque. Oui, j'avais capté son attention. Je lui ai donc parlé de la lettre, de mes recherches dans la Vieille Ville et de ma rencontre avec Papa Joe. « Il m'a demandé de l'appeler *abuelo* parce que…

— … parce qu'il est plus vieux que la terre, a-t-elle dit en terminant ma phrase. Je le connais. Et il se peut que j'aie déjà rencontré votre mentor. » Elle s'est tournée vers moi et m'a regardé droit dans les yeux. C'est là que j'ai remarqué qu'elle avait un œil bleu et un œil marron – cela lui allait bien. « J'aimerais voir cette lettre, a-t-elle dit. Cette lettre de Socrate. »

5

Constatant ma réticence, Ama a ajouté : « Je n'ai pas besoin de la lire. Je veux seulement la voir. »

J'ai ouvert mon sac, j'en ai sorti la lettre, j'ai soigneusement déplié les feuillets et je lui ai montré la première page, et puis la dernière. Elle a poussé un soupir. Je dois dire que c'était un adorable soupir. Je n'ai pas pu m'empêcher de lui demander : « Est-ce que votre mari et vous vivez près d'ici ? »

Elle m'a regardé d'un air entendu. « Je ne me suis jamais mariée. Mais j'ai un ami. Joe Loup Pisteur.

— Vous avez un ami qui s'appelle Loup Pisteur ?

— Un très bon ami. Il est policier dans une réserve. »

Et voilà pour mes fantasmes, ai-je pensé. *Joe Loup Pisteur...* Abandonnant rapidement cette pensée, je suis revenu à l'affaire qui m'occupait.

« Dans sa lettre, Socrate décrit une petite fille qu'il a rencontrée dans une école.

— C'était une enfant très vive, a-t-elle dit en souriant. Ou c'est du moins ce que mon père disait. Je n'ai pas vu cet homme qu'à l'école, mais aussi dans un petit hôpital – ou plutôt une clinique ou une infirmerie où il n'y avait que quelques chambres. Socrate se remettait d'une forte fièvre. Il a frôlé la mort…

— Mais que faisiez-vous là ?

— Mon père y était le médecin en chef. Il a d'abord servi dans l'armée pour ensuite travailler dans des hôpitaux, une fois près de Santa Fe, et puis dans une clinique située à quelques kilomètres d'ici. C'est Papa Joe qui avait trouvé Socrate et l'avait transporté à la clinique. Il s'était évanoui dans les environs.

— Papa Joe ne m'en a rien dit… Comment se fait-il que vous vous rappeliez tout ça ?

— Socrate avait une façon bien à lui de faire impression, même sur une petite fille de six ans. Il m'a tenu la main et il m'a dit que j'avais une énergie, un don de guérison, a-t-elle dit. Il avait un sac à dos élimé, comme un vagabond. Je me rappelle l'avoir vu sur une chaise à l'hôpital. Il marmonnait dans son sommeil à propos d'un livre ou d'un journal. Mon père m'a dit que c'était dû à la fièvre. Presque tous les jours, après l'école, j'allais attendre mon père à l'infirmerie. C'est drôle, cela faisait longtemps que je n'avais pas pensé à tout ça.

— Est-il possible que Papa Joe ait rendu visite à Socrate dans cette infirmerie ? ai-je demandé.

— J'ai le vague souvenir de les avoir vus ensemble. Peut-être était-il venu s'informer de l'homme qu'il y avait amené. Ils semblaient être en bons termes. C'est tout. »

Pendant le silence qui a suivi, j'ai terminé la décoration de la salle et Ama a posé le gâteau et des serviettes de papier sur son bureau. « Vous pouvez être notre invité spécial si vous voulez, a-t-elle dit, d'un ton sincère cette fois-ci. Voulez-vous appeler les enfants ? »

Dès que j'ai franchi le seuil, j'ai vu deux garçons qui grimpaient aux branches les plus basses d'un vieux chêne en direction d'une cabane qui y avait été érigée. Quelques autres enfants jouaient sur une vieille balançoire. Bonita et deux autres fillettes observaient un petit garçon qui essayait de faire la roue. Lorsque je me suis dirigé vers lui et lui ai enseigné la bonne technique, j'ai aussitôt été entouré de tous les autres enfants. Je leur ai donc appris à faire la roue, sur un bout de pelouse au pied du chêne, sous les rayons du soleil de fin d'après-midi.

Quelques minutes plus tard, j'ai entendu la voix d'Ama. « Très bien, tout le monde », a-t-elle crié. « Gâteau et crème glacée… ». Les enfants sont passés en coup de vent à côté de moi et se sont rués vers leur professeure.

« Je crois que je les ai eus avec mon gâteau », a-t-elle dit pendant que je la suivais dans la classe.

À la fin de la fête, Bonita et tous les autres enfants sont rentrés chez eux. Ama et moi avons pris place sur une balancelle de véranda suspendue à une branche du vieux chêne.

« C'est un arbre polyvalent », ai-je dit en montrant les branches au-dessus de nous.

« C'est leur deuxième salle de classe », a-t-elle dit. « Joe m'a aidée à la réparer. Il n'y a pas grand-chose dans le budget de l'école pour des maisons dans les arbres et des balancelles de véranda. » Elle a ri. « C'est gentil de votre part d'avoir montré aux enfants à faire la roue. Ils se souviendront de vous. » La douceur de sa voix me disait : *Tu viens d'obtenir un A, et je n'ai rien contre un baiser.* (C'est du moins ce que m'a laissé croire mon imagination débridée.)

« Où se trouve donc Joe Loup Pisteur ces temps... »

Elle m'a demandé en même temps : « Comment se fait-il que Socrate soit devenu votre mentor ? »

Me résignant à ce changement de sujet, j'ai haussé les épaules. « Un heureux hasard, je suppose. Je suis content que vous l'ayez rencontré vous aussi, des années avant moi.

— Nous n'avons échangé que quelques mots, a-t-elle précisé, et il n'avait pas toute sa tête.

— Alors, il n'a pas beaucoup changé », ai-je dit en plaisantant.

Ignorant ma tentative d'humour, elle a enchaîné : « Vous savez, il m'a dit des choses qui ont changé la façon dont je vois le monde. J'aimerais en savoir plus à son sujet. »

Donc, pendant que la balancelle oscillait doucement au rythme de la brise fraîche du soir, je lui ai parlé de l'époque où j'avais fait la connaissance de Socrate. Sa curiosité a semé la graine d'une idée dans mon esprit: Un jour, j'écrirais peut-être à propos de Socrate et de moi, et de ce qu'il m'avait appris – lorsque j'aurais finalement compris ses enseignements. *Mais commencerais-je même ce récit?*

Je me suis levé et j'ai pris la lettre de Socrate dans mon sac. Retournant à la balancelle, je l'ai tendue à Ama. «Allez-y, lisez-la. Je crois qu'il approuverait.»

Pendant qu'Ama tournait les pages, j'ai repris ma place à ses côtés. Je me sentais détendu pour la première fois depuis que j'avais quitté Hawaï.

Quand Ama a terminé sa lecture, une étoile solitaire est apparue dans le ciel, au nord. Elle a levé la tête, les yeux grands ouverts. «Jusqu'à maintenant, je ne savais pas si le journal existait vraiment. Il en parlait, mais on aurait dit que tout ça tenait d'un rêve.

«Est-ce que Socrate a parlé de l'endroit où il aurait pu cacher le journal? Et de ce qu'il y avait écrit?»

Elle a contemplé l'horizon de plus en plus sombre comme si elle avait pu y trouver une réponse. Elle s'est levée et s'est tournée vers moi. «Je suis désolée, Dan! J'aurais aimé pouvoir vous en dire davantage. J'ai apprécié votre visite. J'ai peu d'amis avec qui parler de telles choses.

— À part Joe Loup Pisteur?», ai-je dit.

Elle a souri. «Oui, je peux parler avec Joe.»

Le crépuscule nous a enveloppés. C'était terminé. Nous avons échangé une poignée de main qui s'est transformée en une brève accolade, un peu maladroite. « Eh bien, m'a-t-elle dit, j'ai des cours à préparer… »

J'avais moi aussi des préparatifs à faire – des devoirs que mon propre professeur m'avait donnés.

6

Je suis sorti dans le désert sur lequel se refermait la nuit. La lumière qui filtrait à travers les fenêtres de la salle de classe d'Ama révélait un paysage aride qu'éclairait faiblement une demi-lune. J'ai entendu au loin le hululement d'une chouette et, plus près, les pas précipités d'un lézard et les cricris des grillons, des sons très nets dans l'air immobile. Seul dans la nuit, j'ai perçu autour de moi l'ombre du doute qui se mêlait au noir firmament; j'ai senti les poils se dresser sur ma nuque. Je me suis retourné et j'ai vu la silhouette d'un homme se dessiner dans la pénombre. Comme il s'approchait, mon visage s'est éclairé.

«*Abuelo*», me suis-je écrié en reconnaissant son sourire édenté. «Mais qu'est-ce que vous...?

— ¡*Silencio*!», a-t-il dit en posant un doigt sur ses lèvres. «Vous voulez réveiller le désert?

— Il est déjà réveillé.

— En effet, avec le vacarme que vous faites ! J'ai cru qu'une bande de délinquants s'apprêtait à faire un mauvais coup », a-t-il dit en adoptant une posture de combat nettement exagérée. Et puis, plus sérieusement, Papa Joe a de nouveau posé un doigt sur ses lèvres. « Il pourrait y avoir des créatures dont vous n'aimeriez pas attirer l'attention. »

J'ai pensé que tout ça n'était que du théâtre jusqu'à ce qu'il dise tranquillement, avec un geste désinvolte de la main : « Et s'il y avait un autre homme qui, lui aussi, cherche *quelque chose ?* »

Malgré la chaleur de la nuit, j'ai senti un frisson sur ma nuque. J'ai regardé autour de moi, mais je n'ai vu que de l'armoise, cette plante herbacée aromatique, et la ligne noire de l'horizon. *Encore une énigme ?* me suis-je demandé. *Que sait-il ?*

« S'il y avait un tel homme, croyez-vous qu'il pourrait être dérangé ou dangereux ?

— Peut-être, a répondu Papa Joe, mais je n'ai plus peur de la mort, *nieto* – je l'attends. La mort nous traque tous, et elle est très patiente… »

Le son de sa voix s'est atténué pendant un moment pendant que je repensais à l'histoire de Samarra.

« De toute manière, j'ai vu ma mort, et elle ne viendra pas de la main d'un tel homme. S'il existe », a conclu le vieillard.

Je me suis appuyé contre le mur de l'école, perplexe. *Pourquoi quelqu'un d'autre chercherait-il le journal après toutes ces années?* ai-je pensé. À moins que les questions que j'avais posées dans la Vieille Ville…

« Comment m'avez-vous trouvé? », ai-je demandé dans un murmure.

— Aucune importance. Ce qui compte, c'est que je sois là.

— Mais pourquoi? Est-ce parce que vous avez autre chose à me dire à propos de Socrate?

— Peut-être que oui, peut-être que non. Cela dépend de vous. »

Résigné, j'ai laissé échapper un soupir. « D'accord. Parlez. »

Il a commencé : « L'information peut avoir autant de valeur qu'une pierre précieuse. Mais l'information est-elle vraie? La pierre est-elle vraie? Comment savoir? Supposons que l'on vous donne trois sachets contenant chacun 20 pierres précieuses identiques. L'un de ces sachets est rempli de fausses pierres. Le seul indice que vous avez, c'est que les véritables pierres pèsent exactement une once chacune, alors que les fausses pierres en pèsent 1/10 de plus. Vous avez une balance. Pas une balance à deux plateaux – ce serait trop facile. Votre balance n'a qu'un seul plateau. En *une* seule pesée, comment déterminerez-vous lequel des trois sachets contient les fausses pierres?

— Attendez, ce n'est pas une énigme; c'est un problème mathématique! » (Je n'ai jamais été fort en maths.)

Papa Joe n'a rien dit.

J'ai fermé les yeux et visualisé les trois sachets. J'ai imaginé ce que mon cousin Dave, un professeur de mathématiques, aurait dit. *Si je retire une pierre de chaque sachet, ces trois pierres pèseront 3,1 onces étant donné que le poids de l'une d'entre elles excédera celui des deux autres de 0,1 once – une pierre de chaque sachet ne révélerait rien d'intéressant, mais… qu'arriverait-il si j'utilisais un nombre différent?*

« Très bien », ai-je dit lentement en suivant ce filon. « Je prendrais une pierre dans le premier sachet, deux pierres dans le deuxième, et trois pierres dans le troisième. Le nombre de 1/10 d'once – soit un, deux ou trois sur six onces – me permettra de déterminer le sachet qui renferme les fausses pierres. »

« ¡ *Exactamente!* », a-t-il dit.

Je suis alors revenu à ce qui m'intéressait. « J'ai appris que vous avez aidé Socrate il y a 30 ans, et qu'il vous a peut-être parlé de ce qu'il avait écrit dans son journal. Il vous a peut-être même dit où il l'avait caché? »

Le visage de Papa Joe était pensif. « Il faut que je fouille dans ma mémoire. J'aurai peut-être trouvé la prochaine fois que nous nous verrons. »

Déçu, je me suis retourné en balayant le sable du pied. « Ce n'est pas ce qui avait été convenu. J'ai résolu votre énigme. C'est maintenant à votre tour de me donner quelque chose… »

J'étais seul. Il avait disparu dans l'encre de la nuit.

Mon humeur s'est assombrie alors qu'une foule de pensées négatives m'assaillaient. *Papa Joe ne veut pas vraiment m'aider. Le journal est probablement perdu à jamais. C'est sans espoir. Je perds mon temps.* Je me suis rappelé l'époque où Socrate me faisait noter tout ce qui me passait par la tête dans un petit carnet, une sorte de méditation littéraire, de manière à ce que je prenne conscience du flot de pensées qui me traversaient l'esprit. Il m'avait dit : « Tu ne peux pas contrôler ce genre de pensées, et tu n'as pas à le faire. Laisse-leur leur moment de gloire, et puis prête attention à ce qui en vaut la peine – par exemple, à la prochaine étape que tu franchiras. »

Très bien. Quelle est la prochaine étape ? me suis-je demandé.

Alors que je roulais en direction du motel, j'ai eu une idée. Je retournerais voir Ama le lendemain, en fin de journée.

En arrivant à l'école, j'ai trouvé Ama qui nettoyait le tableau noir. J'ai souri en voyant une trace de craie sur son front. Sans attendre, j'ai dit : « Il y a quelque chose que j'aimerais essayer... »

« Dan ! », s'est-elle exclamée en se tournant pour me faire face.

Son sourire m'a invité à poursuivre. « Seriez-vous prête à explorer une sorte d'état de transe ? »

Rejetant ses cheveux en arrière et laissant une autre trace de craie sur son front, elle a dit : « Pardon ? Un état de transe ? Vous parlez d'hypnose ?

— Cela pourrait vous aider à raviver quelques souvenirs.

— Je ne crois pas... » Elle a reculé d'un pas. J'ai alors réalisé que je me tenais tout près d'elle.

« Je suis désolé, ai-je dit, gêné. J'oublie que nous venons tout juste de nous rencontrer. Moi non plus, je ne voudrais pas qu'un étranger m'hypnotise.

— Ce n'est pas cela, a-t-elle dit. C'est seulement que je n'ai encore jamais été hypnotisée.

— Certains experts, ai-je expliqué, croient que la majorité des gens sont la plupart du temps dans un état de transe ou d'altération de la conscience – en regardant un film, en lisant un livre, en méditant. Nos ondes cérébrales varient constamment. Mama Chia, une femme dont j'ai fait la connaissance à Hawaï, a utilisé la technique de l'*entransement* pour me guider dans des expériences visionnaires et me transmettre des leçons à un niveau plus profond que l'intellect. Elle m'a enseigné que le subconscient, qu'elle appelle le *soi fondamental*, peut assimiler davantage d'informations que notre esprit conscient. Si vous me permettez de vous guider dans un état de transe, je demanderai à votre subconscient de me livrer des impressions, même si elles semblent avoir peu d'importance. Vous pourrez décider de revenir à votre état normal de conscience en tout temps. Mais ce sera moins brutal si vous me laissez faire. »

Ama semblait sceptique. Ou peut-être était-elle uniquement éblouie par le soleil, car elle s'est installée derrière un pupitre et m'a fait signe de m'asseoir.

« Nous commençons ? a-t-elle demandé.

— D'accord, mettez-vous à l'aise – c'est ça, inspirez profondément. Et maintenant, expirez. Encore une fois. Très bien. Sentez que votre corps devient lourd pendant que vous fixez le bout de mes doigts, ici en haut, juste au-dessus de vos yeux. »

Quelques minutes plus tard, en réponse à mes questions, Ama s'est mise à parler doucement, d'une voix endormie : « Je suis assise à son chevet. Je pose un linge frais sur son front. Il ouvre les yeux et il me parle d'une voix rêveuse. Il dit : "J'ai écrit 2 pages… 5, 10, 20…" » Elle a froncé les sourcils et son élocution a ralenti : « Il est venu à moi… terminé… caché… je ne sais pas… endroit sûr. »

Après s'être balancée d'avant en arrière sur sa chaise, Ama a trouvé un endroit calme, là-bas, dans cette infirmerie appartenant au passé. « Maintenant, il est assis. Il regarde dans la pièce autour de lui, et puis ses yeux s'arrêtent sur moi. Il parle de s'abreuver à une source de montagne. Ou à une fontaine. Je ne sais pas. Je lui offre de l'eau. Il en prend une petite gorgée et puis la repousse. Ses yeux sont ouverts, mais il n'est pas éveillé. Il dit : "Je dois le trouver." »

Avec une voix de petite fille, presque dans un murmure, Ama a ajouté : « Il me regarde directement dans les yeux, mais il ne me voit pas. Il dit : "Il renferme le secret de la vie éternelle. Il montre la voie." »

Elle a poussé un soupir et il y a eu une sorte de nostalgie dans sa voix. «Maintenant, il tente de se lever. Il semble inquiet. Il dit: "J'en ai peut-être parlé à quelqu'un... pas certain." Maintenant, il est fatigué, il se recouche, il ferme les yeux. Attendez, il y a autre chose... à propos de Las Vegas, ou de ses environs. Et puis, il prononce encore une fois les mots *montagne* et *eau*. De nouveau, je lui offre de l'eau, mais il la repousse et répète les mots *montagne* et *eau*.»

Ama s'est redressée si brusquement que j'ai cru qu'elle était sortie de son état de transe. «Une clé. Je vois une clé sur une table. Et puis, elle n'est plus là...»

Elle est allée plus loin, elle est devenue Socrate, s'exprimant avec ses mots, avec le ton de sa voix: «Des rappels d'une vérité supérieure... le moi et le non-moi, la mort et la non-mort... faire confiance au destin... un passage s'ouvrira... dois le trouver... ne sais pas où... où suis-je? Où suis-je?»

Silence. Le front d'Ama devient soucieux. Et puis: «Attendez! Le soleil... le soleil... le soleil!»

J'ai supposé qu'elle incarnait encore Socrate dans une sorte de connexion empathique, et qu'elle sentait la chaleur du désert ou de la fièvre. Ou des deux.

Il était temps de la ramener à son état de conscience ordinaire. Elle a émergé, préoccupée, les yeux ronds. «Attendez!», a-t-elle dit, parfaitement immobile. Quelque chose apparaissait à l'orée de sa mémoire, sur le point de faire surface. Le souvenir est revenu. J'ai pu le voir dans ses yeux.

« Dan, il y a environ 10 ans, peu de temps avant sa mort, la mémoire à court terme de mon père a commencé à défaillir. Mais ses souvenirs du passé lointain me stupéfiaient. Son passé était beaucoup plus riche que son avenir. Il me racontait des histoires lorsque je lui rendais visite. Des histoires à propos de sa jeunesse, et parfois à propos de ses patients.

« Il se souvenait non seulement de l'homme fiévreux qui disait s'appeler Socrate, mais aussi d'un autre homme – d'un homme dont il avait fait la connaissance et qui était ensuite devenu une sorte de patient... »

Ama s'est tue et a attendu, a écouté, a fouillé dans ses propres souvenirs. « Je peux presque entendre la voix de mon père – comment il m'a dit qu'après avoir accordé son congé à Socrate, un autre homme est venu à la clinique et lui a posé des questions à propos de lui, et à propos d'un livre. Mon père ne pouvait livrer aucune information, et même s'il avait su quelque chose, le secret professionnel l'en aurait empêché. L'homme est donc parti. Il semblait déçu, même affolé.

« Cela aurait dû se terminer là, mais l'homme est revenu quelques mois plus tard, suppliant cette fois mon père de lui donner ne serait-ce que le plus infime renseignement au sujet du livre ou de l'endroit où il se trouvait. Afin d'obtenir la sympathie de mon père, et d'expliquer son intérêt, l'homme a dit qu'il était jardinier de profession et que, en allant travailler, il avait croisé par hasard un homme qui avançait en trébuchant le long de la route. Il ne pouvait laisser personne sous le soleil de midi et il s'était donc arrêté et avait offert à l'homme de monter dans sa voiture.

« Il s'était vite rendu compte que l'homme n'était pas ivre, mais fiévreux. Après avoir accepté quelques gorgées d'eau, l'homme avait marmonné quelque chose d'une voix rauque à propos d'un journal qu'il avait caché ou perdu, et que son contenu révélait l'existence d'un portail menant à la vie éternelle. Le jardinier trouvait tout ça dément. Sa première impression avait été confirmée lorsque l'homme délirant lui avait dit s'appeler Socrate. Et lorsqu'il lui a demandé son âge, l'homme avait affirmé avoir 76 ans, mais il en paraissait 20 ou même 30 de moins. Le jardinier avait déposé l'homme non loin de la clinique de mon père. C'est probablement là que Papa Joe l'avait trouvé.

« Quelques semaines plus tard, le jardinier a eu des symptômes étranges et s'est fait examiner dans un hôpital d'Albuquerque. On lui a dit qu'il souffrait de SLA, c'est-à-dire de la maladie de Lou-Gehrig, une affection neuro-dégénérative. On lui a dit qu'il lui restait entre un et trois ans à vivre. Mon père m'a dit qu'il avait ensuite revu le jardinier à plusieurs reprises. Il voulait une seconde opinion, mais elle n'a fait que confirmer le diagnostic. Et puis, le jardinier a pris rendez-vous uniquement pour bavarder, dans l'espoir d'en apprendre davantage sur Socrate et le journal. De guérisseur, mon père est devenu conseiller. Il a confié à l'homme le peu de souvenirs qu'il gardait des paroles que son patient fiévreux avait prononcées des années auparavant. Mais la plupart du temps, il se contentait d'écouter.

« Le jardinier se disait que si Socrate n'avait pas menti sur son âge, il avait peut-être vraiment trouvé le secret de la vie éternelle. Et puis, le jardinier en est venu à croire que c'était le destin qui l'avait mis en présence de l'homme fiévreux, et que le journal lui revenait de droit.

« La dernière fois que mon père a vu le jardinier, il était frêle et avait de la difficulté à marcher. Maintenant obsédé, il a montré à mon père des notes qu'il avait prises en consultant des livres traitant de voies mystiques et de la quête de l'immortalité. Il lui a parlé d'un alchimiste perse qui cherchait à créer un catalyseur, appelé *al iksir* en arabe, et qui était censé assurer l'immortalité. Et des Égyptiens et des hindous qui ingéraient certaines pierres précieuses et qui s'enfermaient ensuite dans des cavernes ou autres endroits sombres afin d'y attendre le début d'un processus de rajeunissement appelé *kaya kalpa*.

« Le jardinier croyait maintenant que le journal renfermait peut-être une carte indiquant où se trouvait la fontaine de Jouvence mythique, ou encore l'endroit où trouver le champignon surnaturel décrit dans un livre chinois, ou bien la pierre philosophale dont parlait Platon dans l'un de ses ouvrages, une substance combinant la terre, l'air, le feu et l'eau et qui pouvait transformer les êtres humains en êtres immortels. Je me rappelle que mon père a dit que, délirant ou non, l'homme avait fait ses recherches. »

Ama a fait une pause. « Il y a autre chose – oh, oui ! – lorsque mon père a demandé au jardinier pourquoi il voulait si désespérément vivre, il lui a dit que c'était à cause de son fils de neuf ans. Ce garçon était tout pour lui. Il l'avait élevé seul après la mort de son épouse cinq ans auparavant. Je crois qu'il y avait une tante, mais… c'est exact – il a dit que la tante travaillait la nuit et dormait le jour… » Ama a soupiré. « Je ne crois pas que mon père ait connu ce garçon, mais il a été témoin du dépérissement du jardinier – il ne pouvait plus cuisiner, conduire, marcher, et ni même respirer, à la fin.

« Six mois plus tard, mon père a appris que le jardinier était mort sans avoir trouvé l'homme ou le journal qui, croyait-il, aurait pu le sauver. Mais quand le jardinier pouvait encore s'exprimer, il avait probablement parlé à son fils de Socrate et du livre qui révélait le secret de la vie éternelle. Mon père pensait que le fils du jardinier saurait peut-être quelque chose…

« Voilà, c'est tout », a dit Ama, satisfaite, comme si elle s'était libérée d'un poids. « Cette triste histoire a marqué mon père. Il me l'a racontée plus d'une fois. »

Pendant qu'elle était en transe, ai-je pensé, *Ama ne disait pas « le soleil, le soleil ! », mais bien « le fils, le fils ! »*[1]

Donc, Socrate avait parlé du journal et de son contenu à un étranger. Et le jardinier avait probablement parlé de sa quête à son fils. *Mais c'était il y a 30 ans*, me suis-je dit. *Cela fait des décennies que la piste s'est refroidie. Le garçon a grandi, il a une vie bien à lui et il habite peut-être loin d'ici, ayant laissé le passé derrière lui. Probablement. Peut-être.*

La voix d'Ama m'a ramené à l'instant présent. « J'ai pensé que vous deviez savoir. C'est tout ce que j'ai. Peut-être que Papa Joe pourra ajouter quelque chose… Il est imprévisible.

---

1 Sun et son, en anglais. *(Note de la traductrice)*

— Oui, j'ai remarqué.

— Je crois que le journal attend que la bonne personne le trouve – qu'il vous attend, Dan. J'espère que vous le trouverez. » Nous nous sommes assis sur la balancelle, silencieux, car il n'y avait plus rien à dire, sauf au revoir.

—✹—

En m'éloignant de l'école, j'ai vu dans le rétroviseur deux enfants qui faisaient la roue dans la cour poussiéreuse, sur le carré d'herbe que le chêne ombrageait. J'ai détourné les yeux et j'ai fixé l'horizon lointain, l'inconnu.

7

Un peu plus tard, je me suis engagé sur le chemin de terre menant à la boutique de Papa Joe avec l'intention de lui poser des questions à propos de ses commentaires et de sa disparition de l'autre soir. La boutique était fermée. J'ai attendu près d'une heure avant de repartir, déçu, mais déterminé à aller de l'avant. Il était peu probable que Papa Joe ait quelque chose à me dire, à part me proposer des énigmes. Et j'avais maintenant la certitude que le journal se trouvait à un ou deux jours de route vers l'ouest. Socrate avait mentionné le désert des Mojaves et Las Vegas.

Après avoir fait le plein, j'ai roulé vers l'ouest en empruntant les routes 40 et 66 qui traversaient les badlands de l'Arizona et ensuite le désert des Mojaves non loin de la frontière du Nevada et de la Californie. Tout en conduisant, j'imaginais Socrate somnolant sur le siège du passager, les pieds sur le tableau de bord. « Alors, Soc », ai-je dit à voix haute tout en ressentant la bouffée de l'air chaud qui s'engouffrait dans l'habitacle de la camionnette couverte de poussière: «Est-ce que je roule dans la bonne direction? Est-ce que je chauffe?» C'était une bonne question alors que le four du désert passait du mode cuisson à celui de barbecue. J'ai abaissé la vitre de la portière et j'ai sorti le bras, mais la rafale d'air brûlant ne m'a apporté aucun soulagement.

Dans la chaleur suffocante, je me suis mis à la place d'un Socrate brûlant de fièvre qui cherchait un endroit hors des sentiers battus où cacher son journal. Mais ce rêve éveillé n'a fait que me donner soif. Alors que les kilomètres défilaient, j'ai traversé un paysage fait de plateaux, de cactus et de collines. La camionnette gravissait des pentes raides, accueillie par des gouttelettes de pluie dans les hauteurs, avant de redescendre et de rouler à nouveau dans la plaine aride. Pendant que je traversais les vastes espaces du Nouveau-Mexique et de l'Arizona, je pensais aux familles de pionniers se frayant un chemin à travers ces terres inhospitalières dans leurs chariots couverts.

J'avais l'angoissante sensation que quelqu'un m'épiait de loin. Ce n'était pas la première fois. À travers le pare-brise abîmé par des impacts de cailloux, j'ai laissé mon regard errer sur le long ruban de la route. J'ai ensuite jeté un coup d'œil dans le rétroviseur et les fenêtres latérales. Seule la lande défilait. De temps en temps, je croisais un véhicule et je passais devant une halte de routiers.

À l'approche du crépuscule, je me suis arrêté pour m'étirer et me soulager. Ensuite, j'ai encore parcouru une trentaine de kilomètres avant de m'allonger à l'arrière de la camionnette. Je me suis levé à l'aube après quelques heures d'un sommeil agité et j'ai repris la route dans la fraîcheur du petit matin.

La journée s'annonçait chaude alors que je roulais vers l'ouest, lentement maintenant, scrutant l'horizon à la recherche d'un signe prometteur. Et puis, ce que j'ai d'abord pris pour un mirage s'est révélé une station-service et une épicerie. Cela tombait bien. Je me suis garé et je suis entré.

À l'intérieur, après avoir acheté de l'eau et quelque chose à grignoter, j'ai étudié une carte fixée à l'aide d'une punaise sur le mur, à la recherche de points de repère inté-ressants autour de Fort Mohave. J'ai vu que Las Vegas se trouvait à environ deux heures de route au nord sur la route 95 qui traversait la ville de Cal-Nev-Ari, ainsi nommée à cause des trois frontières d'États avoisinantes.

J'ai ajouté un litre d'huile à moteur et j'ai rempli le réservoir d'essence et le radiateur. Cette station-service, une oasis dans cette vaste étendue aride, avait une signification spéciale pour moi, car elle me rappelait les nombreuses soirées que j'avais passées en compagnie de mon vieux men-tor, à Berkeley près de 10 ans auparavant –, comme la fois où Socrate et moi avions eu une conversation enflammée à propos de ce qui distingue la connaissance de la sagesse. *Est-ce le monde qui a changé*, me suis-je demandé, *ou est-ce moi?* Après avoir trouvé une chanson populaire à la radio, momentanément habité par le fort sentiment d'avoir un but bien précis, je me suis réengagé sur la route principale.

Bien après le crépuscule, j'ai trouvé un motel bon marché. Le climatiseur à la fenêtre de la chambre peinait à tenir la chaleur en échec

La nuit a été longue. Au matin, j'ai fait quelques pompes et redressements assis pour me réveiller, jusqu'à ce que la chaleur montante rende de tels efforts ridicules. J'ai trouvé un téléphone public dans le hall d'accueil et j'ai appelé Ama, espérant quelques détails additionnels à propos de l'endroit où était caché le journal. Elle n'a pas répondu, et j'ai donc appelé ma fille. Mais encore une fois, pas de réponse. Je me suis dit qu'il fallait que je lui envoie une autre carte postale.

Sautant le petit-déjeuner continental offert par le motel, j'ai poursuivi ma route vers l'ouest.

Une heure plus tard, j'ai consulté ma carte routière pendant que je roulais sur une longue ligne droite. Soudain, un coup de vent brûlant, comme un chien enragé, me l'a arrachée des mains et l'a entraînée dans le désert. Je n'allais certainement pas freiner brusquement et me lancer à sa poursuite. Et de quelle utilité m'avait-elle été? Les cartes ne sont bonnes que pour les gens qui savent où ils vont.

Quelques kilomètres plus loin, j'ai aperçu un auto-stoppeur. J'ai ralenti et j'ai vu qu'il était vêtu d'un complet usé, malgré la chaleur du désert. Me rangeant sur le côté, j'ai baissé la fenêtre. Il n'était pas aussi jeune que je l'avais d'abord cru, mais il n'était pas vieux non plus – peut-être au milieu de la trentaine et probablement Mexicain ou métis. J'ai deviné un corps maigre et nerveux sous sa veste trop grande. Il avait d'épais cheveux noirs et un visage hâlé, rasé de près. « Je m'appelle Pájaro », a-t-il dit en s'inclinant légèrement.

« Et je m'appelle Dan. Voulez-vous monter ? »

Il s'est encore une fois incliné. « *Gracias.* Tant que vous roulerez vers un endroit où il y a de l'eau. »

Alors qu'il s'installait sur le siège du passager, je lui ai tendu ma gourde. Il a bu plusieurs petites gorgées, versant l'eau dans sa bouche sans toucher le goulot de ses lèvres. « Vous parlez bien anglais, ai-je dit. Où l'avez-vous appris ?

— Ici et là. J'en ai fait mon affaire puisque je suis un homme d'affaires. »

— Que faites-vous au juste ?

— J'achète et je vends.

— Quelque chose de spécial ?

— Tout ce que je vends est spécial. Ce que j'achète – eh bien, c'est plutôt ordinaire. Et soit dit en passant, je suis également un guide du désert. »

Hmmm, ai-je pensé. *Un guide du désert sans nourriture ni eau, debout le long de la route.* J'ai laissé l'ironie de la situation se dissiper avant de demander : « Et combien demandez-vous pour vos services de guide ?

— Mes honoraires sont minimes et mon service est exclusif, a-t-il expliqué. Je ne prends qu'un client à la fois. Que diriez-vous de cinq dollars par jour, nourriture et eau incluses ?

— Où me proposez-vous de m'emmener ?

— Où vous voulez aller. Je connais toutes les villes, toutes les montagnes et les moindres recoins du désert, a-t-il dit sans fausse modestie.

— Les moindres recoins du désert ?

— Je les connais tous, Señor Dan. Je sais où se cachent les serpents, où se trouve le danger, et comment tirer de l'eau du cactus Saguaro… »

Pourquoi pas ? ai-je pensé. Socrate avait écrit que je pourrais rencontrer des alliés. Et s'il fallait que je sois un Don Quichotte en quête d'un rêve impossible, pourquoi ne pas embaucher un *compañero* à qui je pourrais faire confiance ? « D'accord, Pájaro. Marché conclu. Pour quelques jours en tout cas. »

Nous avons échangé une poignée de main.

« *Pájaro* veut dire *oiseau* », m'a-t-il informé.

Nous avons roulé en silence, franchissant plateaux et collines tandis que le soleil descendait lentement derrière une lointaine chaîne de montagnes.

Lorsque le ciel s'est teinté à l'ouest d'orange et de magenta, j'ai quitté la route poussiéreuse et nous avons monté notre campement. Pájaro a proposé un site où nous serions à l'abri des vents qui soufflaient fréquemment de l'est ou du sud, ainsi que du soleil levant à l'est. J'ai retrouvé mon entrain alors que le coucher du soleil apportait un peu de fraîcheur. Averti des nuits glaciales dans les hauts plateaux, j'ai étendu mon sac de couchage sur une élévation de terrain en prenant garde aux fourmilières ou à la présence d'autres insectes. Pájaro a semblé satisfait de s'étendre sur sa veste.

C'est fou comme le désert m'a paru différent lorsque j'en ai soudain fait partie. Ce qui m'était apparu mort et aride de loin prenait vie pendant la nuit. Alors que l'obscurité nous enveloppait, Pájaro a allumé un petit feu. Nous avons fixé les flammes qui montaient dans un crépitement. J'ai entendu un coyote hurler, et puis deux ou trois autres. Pájaro m'avait demandé plus tôt ce que je faisais dans la région; je m'étais contenté de lui dire que je m'étais lancé dans une quête personnelle et que j'espérais aller dans la bonne direction. J'ai levé les yeux vers le ciel piqueté d'étoiles qui, bientôt, ont laissé la place aux rêves.

Le lendemain matin, nous avons levé le camp très tôt, avant que la chaleur ne tombe sur le désert. J'avais l'intention de trouver une place où manger et faire le plein d'essence près d'une agglomération. «Je connais un endroit», a annoncé Pájaro. Il m'a indiqué de rouler plein ouest et, effectivement, une trentaine de kilomètres plus loin, nous avons aperçu quelques habitations, et puis une vieille station-service jumelée à un petit café. Il fallait que je me procure une autre carte routière, même si Pájaro proclamait que la géographie locale n'avait aucun secret pour lui.

J'ai fait le plein pendant que Pájaro lavait les vitres. Je lui ai donné de l'argent – cinq dollars pour ses services de la journée, et assez pour payer l'essence. Il a accepté de me rejoindre ensuite à l'intérieur du café.

Je n'ai pas eu besoin du menu : une odeur de pommes de terre sautées, de café et de crêpes flottait dans l'air. Une serveuse a rempli deux verres d'eau. J'ai vidé le mien rapidement et lui ai demandé de le remplir à nouveau.

J'ai regardé les convives autour de moi : un couple, une vieille femme, quelques hommes d'affaires. Et Papa Joe. Assis au comptoir à ma gauche, il trempait un morceau de pain grillé dans des jaunes d'œufs. Secouant la tête, je me suis levé et je suis allé m'asseoir à côté de lui. Il a esquissé un sourire, mais sans lever les yeux de son assiette.

« Très bien, *abuelo*, il faut que je sache. Comment...

— Presque tout le monde s'arrête ici. Je vous recommande les *huevos rancheros*. »

Quelques minutes plus tard, j'ai adressé un signe de tête à la serveuse qui remplissait mon verre pour la troisième fois, et j'ai commandé mon petit-déjeuner. Jetant un coup d'œil à l'extérieur en direction des latrines, je me suis demandé ce qui retardait Pájero, tout de même heureux de passer un petit moment en tête-à-tête avec Papa Joe. Je lui ai demandé : « Puis-je vous offrir quelque chose à boire ? Vous semblez aussi sec qu'un pruneau.

— Une limonade fera l'affaire, a-t-il dit. Et pour passer le temps, en attendant que vos *huevos* soient prêts, j'ai une autre... »

Je l'ai interrompu : « Vous pouvez imaginer ma joie à l'idée de résoudre une autre énigme à partir, en somme, d'une quasi-absence d'informations utiles.

— Oui, je peux l'imaginer, et même plus. Cependant, vous pourriez apprendre quelque chose d'utile grâce à ce petit mystère : "J'ai des murs de marbre aussi blancs que le lait, tapissés de peaux aussi douces que la soie ; je suis une forteresse sans murs, et pourtant les voleurs entrent et volent mon or. Que suis-je ?"

— Je me le demande souvent… mais laissez-moi réfléchir : des murs de marbre aussi blancs que le lait…

— …tapissés de peaux aussi douces que la soie », a-t-il enchaîné.

— Attendez. Vous dites que les murs sont faits de marbre, et puis que la forteresse n'a pas de murs, et que des voleurs entrent pour y voler de l'or. Comment peut-il y avoir des murs, mais pas de murs ? Et comment les voleurs peuvent-ils s'introduire dans la forteresse s'il n'y a pas de murs ? Cela n'a aucun sens !

— C'est pour cette raison que c'est une énigme, *burrito*. »

La serveuse a déposé une assiette devant moi et j'ai attaqué mon repas. « Mais il y a une solution, n'est-ce pas ?

— Évidemment. Cette énigme est facile. La réponse se trouve tout juste sous votre nez. »

J'ai baissé les yeux en prenant une autre bouchée de… Bien sûr ! « Un œuf, ai-je répondu.

— J'ai cru qu'il faudrait que j'en ponde un avant que vous compreniez ! Mais maintenant », a-t-il dit, terminant sa limonade en tirant sur sa paille à grand bruit et déposant son verre sur le comptoir d'un geste autoritaire, « je suppose que vous vous attendez à en apprendre davantage.

— Vous êtes une mine d'érudition. »

Il s'est penché vers moi avec un air de conspirateur et a murmuré à mon oreille : « Vous trouverez probablement ce journal là où volent les faucons – à haute altitude.

— C'est tout ?

— Eh bien, vous pouvez maintenant éviter les lieux qui se trouvent à basse altitude. » Tournant la tête à gauche et à droite comme s'il pouvait voir, comme si d'autres oreilles que les miennes pouvaient l'entendre, il a encore murmuré : « Et soyez sélectif lorsque vous accorderez votre confiance à quelqu'un.

— Apparemment, cela vous inclut.

— Bien entendu ! », a-t-il dit en m'adressant un autre sourire édenté.

Je me suis rappelé que Socrate m'avait donné un conseil similaire des années auparavant, disant que la confiance devait être gagnée avec le temps. Dans l'intervalle, Papa Joe a regardé à travers moi de ses yeux aveugles – provoquant une sensation troublante – et m'a donné un autre conseil : « Vous êtes dans le désert, *nieto*. Faites plus attention à ce qui vous entoure que vous ne l'avez fait à votre repas. » Après m'avoir salué d'un signe de tête, il s'est glissé en bas du tabouret et a adroitement accepté le bras de la serveuse. Je les ai regardés s'éloigner le long du corridor menant aux toilettes.

Il était maintenant peu probable que Pájaro me rejoigne. Mais avant de disparaître mystérieusement, il avait apparemment payé l'essence.

8

Ce soir-là, j'ai établi mon campement sans mon guide qui était disparu aussi mystérieusement qu'il était apparu. J'ai fait une courte promenade sous le clair de lune, espérant que le désert me soufflerait ses secrets. Les sens en alerte, à l'écoute du moindre signe, j'ai aperçu un lapin, une chouette et quelques lézards. Je sentais que j'étais encore loin du but.

Je me suis mis à quatre pattes pour mieux observer quelques fourmis poilues. Mon visage était pratiquement au niveau du sol lorsque j'ai regardé un peu plus loin et que j'ai vu ce que fuyaient les fourmis – mon premier gros plan d'un scorpion. Pas n'importe lequel, mais comme je l'ai appris plus tard dans mon guide de survie, un spécimen géant, très poilu, qui marchait droit sur moi. Je me suis levé d'un bond et j'ai reculé vers mon campement, le cœur battant la chamade.

Je me suis glissé dans mon sac de couchage, mais je voyais le scorpion partout dès que je fermais les yeux. Son aiguillon en forme de fouet a éveillé un souvenir de l'époque où Socrate qualifiait les pensées qui encombraient mon esprit de « singes fous piqués par un scorpion ». *Peut-être que ce ne sont pas les insectes qui me font peur, mais l'idée que je m'en fais.* Malgré cette pensée, je me suis tout de même levé à plusieurs reprises, comme un singe fou, pour ouvrir mon sac de couchage et le secouer. Satisfait, j'ai contemplé le firmament étoilé, seul dans le désert. Juste avant que le sommeil ne s'empare de moi, j'ai entendu un coyote et j'ai constaté : *dans le désert, on n'est jamais vraiment seul. Un millier de petites bestioles se tiennent tout autour, attendant.*

———※———

Dans la partie australe de la forêt nationale de Kaibab, dans le nord de l'Arizona, une grosse averse pouvait faire naître une myriade de couleurs : une explosion de fleurs sauvages blanches, jaunes, bleues, roses, orange, rouges et magenta ; même les épineux cactus raquettes revêtaient leurs plus beaux atours. Mais la chaleur reprenait vite ses droits, accentuant le sentiment d'urgence qui m'habitait. Et avant de croiser le chemin d'un vieil homme du pays dans une station-service, j'étais si désespéré que j'avais dit un *Je vous salue Marie* – espérant une intervention divine. J'ai dit à l'homme, du mieux que j'ai pu en espagnol, que je cherchais un *libro particular*, un livre en particulier. Il m'a répondu, en anglais, qu'il connaissait une bonne librairie à Flagstaff. Vraiment, il fallait que je me calme.

Mon esprit logique a continué à errer alors que je tentais de m'encourager avec des banalités aussi originales que : *Si tu ne te soucies pas de l'endroit où tu es, tu n'es jamais perdu.* Ce qui m'a rappelé que Socrate me disait souvent que j'étais toujours dans le moment présent, qu'il était, qu'il est et qu'il sera toujours maintenant. *Et le journal ?* ai-je pensé. *Toujours ailleurs.*

Entre-temps, la camionnette siphonnait de l'huile comme un ivrogne invétéré pendant que je roulais dans un décor fait d'éternels cactus et de dunes, et parfois sous une pluie fine qui s'évaporait avant de toucher le sol – un phénomène local appelé *virga*, d'après mon guide. Je me suis rappelé que l'exposition au soleil était la cause de mortalité la plus courante dans cette région, faisant resurgir un souvenir viscéral de ma mésaventure sur une planche de surf à la dérive sous un soleil de plomb. *Partout, la mort me fait penser à Samarra.*

J'ai ressenti l'impulsion irrationnelle de me ranger sur le côté de la route, de prendre ma pelle et de commencer à creuser le sol. Je me suis vu comme un rat du désert âgé de 102 ans, la peau momifiée, se ménageant un passage dans le sable pour la cent millième fois. Mais j'ai continué à rouler.

Seul dans la camionnette, mes pensées revenaient sans cesse au passé : à quelques centaines de kilomètres de l'endroit où je me trouvais, et sept ans plus tôt, j'étais un jeune athlète universitaire participant à une compétition nationale comme si c'était la chose la plus importante du monde. Je suppose que ça l'était à l'époque, du moins pour moi.

Aujourd'hui, la vie avait d'autres « importances ». C'est le terme qu'employait Socrate pour parler des valeurs nouvelles, des perspectives changeantes.

D'autres images et impressions aléatoires ont défilé dans mon esprit – le parc Tappan sur le campus d'Oberlin… du surf sans planche dans les vagues venant s'échouer sur la plage de Santa Monica, l'année où j'étais devenu majeur – le tout mêlé au visage de ma fille qui me regardait. Et puis, j'ai vu le visage d'Ama et ensuite celui de Kimo, une jeune Hawaïenne qui m'avait montré la grotte sous la mer où j'avais trouvé le petit samouraï. Cela m'a fait penser au Japon, où je me trouverais en ce moment si je n'avais pas découvert la lettre de Socrate.

Cette nuit-là, j'ai fait un rêve complètement fou. Mon vieux mentor portait une cravate-lacet, une chemise blanche et un veston – et il était croupier à une table de black-jack dans un casino! Cela m'a paru si ridicule que j'ai éclaté de rire, ce qui m'a réveillé. Je me suis redressé dans mon sac de couchage, dans la fraîcheur qui précède l'aube. J'ai parlé à voix haute, la gorge sèche : « Non, Soc – vous n'êtes pas sérieux! » Mais selon Ama, Socrate avait mentionné cette ville, ou un lieu non loin de là. Je ne pouvais écarter aucune possibilité. Après tout, les toits des gratte-ciel de Vegas étaient des endroits élevés. Qui à part un Socrate pris de délire aurait pensé à cacher un journal mystique sur le toit d'un casino, à la vue de tous et en même temps là où personne ne le verrait?

Même si cette idée était peu vraisemblable, j'avais besoin d'échapper un peu à la poussière et à la chaleur. J'ai donc levé le camp et je me suis dirigé vers le nord. Je suis descendu dans un motel à quelques rues de la principale artère de Las Vegas – une chambre sans luxe, mais propre, fraîche et sans insectes.

Je me suis laissé tomber sur le lit et j'ai aussitôt sombré dans un profond sommeil.

9

J e me suis réveillé le lendemain matin lorsque la femme de chambre a frappé à la porte. « Euh, pas nécessaire de faire la chambre – merci ! », ai-je crié avant de prendre une longue douche chaude. Je ne m'étais pas rendu compte à quel point j'étais épuisé. Je me suis rasé et j'ai appliqué sur ma peau une généreuse couche de la crème fournie par le motel. À Vegas, il faut respecter les règles de la maison. (Soc aurait approuvé.)

À l'extérieur, j'ai flâné autour de la piscine. *Il devrait y avoir davantage de piscines dans le désert*, ai-je pensé, prenant note de faire un plongeon bientôt.

Au café du motel, j'ai bu deux verres de jus d'orange fraîchement pressé et j'ai mangé une salade de fruits, un muffin anglais et des flocons d'avoine. Et une gaufre aux fraises. Plus tard, j'ai offert un lavage à la camionnette, la débarrassant de plusieurs couches de sable et de saleté.

Pendant que j'attendais, j'ai glissé une pièce de 25 cents dans l'une de ces machines à sous qui sont omniprésentes dans la ville du péché. Le « bandit manchot » a ronronné, des images ont défilé et puis se sont arrêtées brusquement. J'ai entendu le tintement de nombreuses pièces qui tombaient – pas beaucoup, mais assez pour payer le lavage. Peut-être que la chance était en train de tourner.

Il y avait partout des touristes qui se dirigeaient vers les casinos ou les chapelles de mariage promettant la concrétisation de tous les rêves. Ceinturée par le désert, rôtissant sous un soleil brûlant, si la ville n'avait pas été habitée, elle serait vite retournée à l'état de poussière et de sable. Mais pendant qu'elle existait, elle livrait richesse et cœurs brisés – c'était un endroit où l'on pouvait arriver au volant d'une voiture de 20 000 $ et repartir à bord d'un autocar de 100 000 $.

J'ai décidé de faire une sieste afin de m'adapter à l'heure de Vegas. Comme tout vampire qui se respecte, la ville s'éveillait au moment où l'obscurité l'enveloppait, vous faisant oublier où vous étiez pendant un bref moment. Mais je ne pouvais pas me permettre d'oublier. Le journal était peut-être tout près, niché quelque part au-dessus de ma tête.

Plus tard, à deux heures du matin, après m'être faufilé dans la foule qui avait envahi le centre-ville, clignant des yeux dans la lumière aveuglante, je suis entré dans un complexe fait d'acier, de néons et de moquettes moelleuses et où l'air était parfumé. Des pelouses luxuriantes et des fontaines donnaient à l'ensemble une apparence de permanence, mais, comme presque tout dans cette ville, ce n'était qu'une illusion.

J'ai ensuite roulé jusqu'aux confins de la ville pour en admirer la silhouette, repérant les édifices les plus hauts, là où Soc aurait pu cacher le journal. Mais je n'ai vu aucun hôtel ou casino dont le toit semblait accessible. J'ai donc décidé qu'une journée ou deux de repos et de détente pourraient m'aider à voir les choses sous un autre angle.

J'ai joué au black-jack et à la roulette. Vingt dollars plus tard, je suis allé voir *Le shérif est en prison*, un film mettant en vedette Mel Brooks, dans un cinéma ouvert toute la nuit, oubliant tout le reste pendant quelques heures dans une salle climatisée en mangeant du pop-corn. De retour au motel au petit matin, je me suis déshabillé en ne gardant que mon slip (qui, me suis-je dit, ressemblait à un maillot de bain). J'ai plongé dans la piscine éclairée et j'ai nagé sur le dos dans l'eau peu profonde. *Quelle heure est-il ?* me suis-je demandé en barbotant. *Oh d'accord, Soc, j'ai compris – c'est maintenant.*

Tard le lendemain matin, un verre à cocktail rempli de jus de fruits que je sirotais au moyen d'une paille m'a fait sourire – tout comme le fait de flotter pendant une heure sur un matelas gonflable dans la piscine du motel, le corps enduit de crème solaire. Souriant et insouciant. La magie de Vegas peut transformer un homme en amibe, effaçant des siècles d'évolution.

Poursuivant ma dégénérescence, je me suis retrouvé ce soir-là à une table de roulette. J'ai joué le chiffre 11 – pas le choix le plus judicieux si l'on considère les chances de gagner. J'ai misé une somme modeste. À minuit, après avoir perdu plusieurs fois, sentant que je devais rester fidèle à ce bon vieux 11, j'ai continué à miser sur lui. Il fallait bien que la bille s'arrête sur lui un jour. Comme j'allais déposer mes derniers jetons sur la table, j'ai entendu un murmure : « Sur le 16. »

J'ai regardé autour de moi – j'étais seul avec le croupier. C'était sûrement un signe. J'ai placé mes jetons sur le 16. La roue a tourné et s'est finalement arrêtée – sur le 16 ! J'étais sur le point d'aller encaisser une quantité appréciable de jetons lorsque j'ai de nouveau entendu la voix : « Continue. » J'ai donc continué. La bille a roulé, dansé, hésité tout près du 16 – et puis a ricoché sur un zéro vert.

La voix a encore parlé. Elle a dit : « Zut ! »

« Bon, c'est assez ! », ai-je crié en me levant et en lançant un regard furieux au croupier que je tenais personnellement responsable de cette injustice. Sur le point de jurer que je renonçais au jeu à tout jamais, j'ai mis mon dernier dollar dans une machine à sous. J'allais partir lorsque j'ai entendu tomber une cascade de pièces, suffisamment pour engager un sérieux duel avec le croupier à la table de blackjack. J'avais attrapé la fièvre du jeu. *La fièvre* ! ai-je pensé, un peu confus. *C'était certainement un signe !*

Pendant les 10 minutes qui ont suivi, d'humeur philanthrope, j'ai donné près de 200 $ au casino. Cette largesse, et en même temps une tragédie, est passée inaperçue aux yeux du croupier et des joueurs qui m'entouraient et qui, sur le moment, étaient trop pris par leurs propres drames pour se soucier du mien.

« Il faut que je me souvienne de miser gros lorsque je suis sur le point de gagner et peu lorsque je m'apprête à perdre, ai-je dit au croupier.

— Ça semble être une bonne idée », a-t-il dit.

J'ai doublé ma mise et j'ai perdu. « Vous avez les yeux d'un saint, mais les mains d'un entrepreneur des pompes funèbres, ai-je dit.

— Amen », a marmonné un homme à mes côtés qui semblait sur le point de se suicider financièrement sous les yeux de sa femme horrifiée, le teint couleur de la cendre. Je pouvais pratiquement voir le rapport du coroner : décès attribuable au black-jack.

À la main suivante, le croupier a retourné un roi, le visage impassible. J'avais 15 et, selon les experts, j'étais censé prendre une autre carte. Ce 15 ne me satisfaisait pas et j'ai donc frappé sur la table pour obtenir une autre carte. Fantastique – un as. J'avais maintenant 16. Encore une fois, selon les experts, j'étais censé prendre encore une carte. D'une manière ou d'une autre, je risquais de perdre.

Le black-jack, comme la vie, n'offre parfois que deux choix : mauvais ou pire.

Je me suis résigné. « Très bien, frappez-moi. »

Le croupier m'a regardé d'un air surpris.

« Frappez-moi », ai-je répété, plus fort.

Le croupier est resté immobile, comme s'il était sourd. « Frappez-moi ! », ai-je crié. Il m'a donc rendu service en m'assenant un crochet du droit qui m'a dévissé de mon tabouret. J'ai senti ma tête valser sur le côté, au ralenti, pendant que je tombais sur le dos.

Ma tête a touché le sol du casino, et puis je me suis réveillé dans ma chambre de motel.

J'ai jeté un coup d'œil au radio-réveil sur la table de nuit : 4 h 12 du matin. J'ai vérifié que le rouleau de billets que j'avais placé dans la pochette de mon sac à dos en cas d'urgence était toujours là. Mon rêve m'envoyait un message clair : il était temps que je quitte cet endroit.

Avant de partir, j'ai pris un petit-déjeuner, j'ai réglé ma note et j'ai entrepris avec peu d'enthousiasme d'escalader les sommets de Las Vegas. Lors de l'une des ascensions de mon Everest personnel – ascenseur, cage d'escalier et toit –, j'ai remarqué une porte entrebâillée. J'ai jeté un rapide coup d'œil et devinez ce que j'ai trouvé – oserai-je le dire ? – *rien du tout*.

De retour dans l'habitacle de ma camionnette, j'ai ouvert ma carte routière.

Au nord, il y avait une base militaire et un champ de tir sur un terrain surélevé. Mais je n'allais tout de même pas m'exposer à l'artillerie en fouillant de petits cratères.

À l'est se trouvaient le lac Mead et le barrage Hoover – possible, mais peu probable (comme ma vie depuis une décennie). Au sud, Black Mountain et le McCullough

Range. Cette direction semblait prometteuse, mais je sentais que ça n'allait pas.

Au sud-ouest, il y avait Fort Mohave et Needles, où la route 40 traversait le Nopah Range et le Funeral Mountain Range avec, au nord, le parc national de la vallée de la Mort. Y avait-il un meilleur endroit que la vallée de la Mort pour trouver la vie éternelle?

Je ne savais tout simplement pas. Mon âme était plongée dans le noir. Malgré mon entraînement avec Mama Chia, je commençais à douter de mon intuition. Sur quoi pouvais-je me baser? Même si Soc m'avait indiqué une acre de terrain en particulier, où aurais-je commencé à creuser? Aucun joueur digne de ce nom n'aurait misé sur quelque chose d'aussi vague.

J'ai laissé ma main glisser sur la carte…

Soudain, un signe: comme ma main passait sur un endroit appelé Mountain Springs Summit, altitude de 1 675 mètres, j'ai senti des picotements sur mon cou. Je n'étais pas certain de ce que cela signifiait, mais cela voulait dire *quelque chose*. Ce n'était qu'à une heure de route de Las Vegas.

Qu'avait dit Ama lorsqu'elle était en transe? Socrate avait parlé d'une montagne et d'eau, et puis il avait refusé de boire. Peut-être parlait-il d'une source? D'une source de montagne – de Mountain Springs?

Ce sommet correspondait à la description d'un lieu élevé faite par Soc. Il y avait peut-être une grotte ou des grottes et une vue du désert comme en aurait un faucon.

Après avoir rencontré la jeune Ama toutes ces années auparavant, Soc était peut-être allé aussi loin dans l'ouest avant que la fièvre ne le terrasse. Une image de Socrate en train de gravir une montagne est apparue dans mon esprit. Je pouvais le voir assis sur une grosse pierre, loin du monde civilisé, essuyant la sueur perlant sur son front et écrivant malgré la fièvre avec la même concentration et la même discipline dont il avait si souvent fait preuve à Berkeley. Et puis, réalisant qu'il délirait, Soc avait pu cacher le journal là-bas avec l'intention de le récupérer plus tard. Un autre bon Samaritain, ou plusieurs pouvaient l'avoir ramené vers l'est, à Albuquerque. Peut-être avait-il mentionné le dernier endroit dont il se souvenait. C'était une bonne histoire. Cela s'était peut-être passé ainsi.

La possibilité que Soc soit allé à Mountain Springs Summit, pour revenir ensuite vers l'est, n'était sensée que si l'on tenait compte de sa confusion attribuable à la fièvre. Il avait pu monter avec n'importe qui, peu importe la direction. Quelqu'un l'avait peut-être déposé au pied de la montagne. Ensuite, il avait peut-être emprunté un sentier menant au sommet, loin de la route. Un endroit tranquille où les faucons peuvent voler. Alors, je ferais la même chose.

10

Poussé par le devoir et le désespoir, j'ai roulé vers le sud et ensuite vers l'ouest à travers des terres desséchées couvertes d'armoise et d'amarante. Concentré sur la route qui s'ouvrait devant moi, j'ai écarté la faible possibilité que quelqu'un d'autre soit également à la recherche du journal. Jusqu'à ce que j'aie la forte impression d'être observé. *Peut-être*, ai-je pensé, *que c'est le regard de Soc que je sens sur moi.*

Quel crétin je fais, ai-je pensé en secouant la tête devant ma nullité alors que j'errais dans le désert. Cette quête vaine était peut-être la façon que Soc avait trouvée de me montrer que je n'étais pas à la hauteur, de me dire qu'il avait perdu son temps. Il m'avait fait part de tant de choses et, de mon côté, en tant qu'athlète universitaire, j'avais cru que je méritais tout ça. Comment l'avait-il formulé dans sa lettre ? Que je m'estimais « plus sage que mes pairs » ! J'avais gagné quelques compétitions, j'avais obtenu mon diplôme, je m'étais marié, j'avais eu un enfant, j'avais trouvé un emploi d'entraîneur et ensuite un poste d'enseignant. À quoi tout cela rimait-il maintenant? Qui étais-je sinon un solitaire égocentrique qui s'était donné une mission farfelue? Si j'arrivais à mettre la main sur le journal, peut-être y trouverais-je une réponse.

J'ai atteint Mountain Springs Summit à la fin de l'après-midi et j'ai garé la camionnette le long de la route. J'avais acheté assez de nourriture pour plusieurs jours et j'avais rempli ma gourde. J'avais également pensé à prendre une bouteille d'eau supplémentaire. J'avais refait mon sac à dos d'où dépassait ma pioche. Le petit samouraï et mon journal personnel rempli de notes y ajoutaient du poids, mais j'avais décidé de les emporter, ne voulant rien laisser d'important derrière moi.

J'ai levé les yeux vers la pente rocailleuse qui se trouvait à une centaine de mètres devant moi – le seul point élevé vers lequel se serait dirigé Socrate s'il avait cherché la solitude, si jamais il était venu jusqu'ici. J'ai traversé la route et j'ai marché vers ce qui semblait être le point de départ d'un sentier. Cette unique voie menant au sommet était bordée de chaque côté par des parois escarpées. Ce ravin, sculpté par l'érosion et le temps, pouvait devenir dangereux en cas de fortes pluies. Mais le ciel était dégagé et l'ascension semblait relativement facile, d'une grosse pierre à l'autre.

J'ai commencé à monter sous un soleil qui cognait dur. J'ai eu l'impression qu'il faisait anormalement chaud jusqu'à ce que je réalise que cette chaleur était intérieure, comme une étrange fièvre. J'ai espéré que ce n'était pas le même genre de fièvre qui s'était autrefois emparée de Socrate. C'était peut-être mon imagination, combinée à l'effort physique en haute altitude. J'ai continué à avancer, toujours plus haut.

Après une ascension d'environ 180 mètres, le ravin aboutissait à un plateau couvert de gravier. Je pouvais apercevoir ce qui était sans doute le point qui m'offrirait une vue du désert. Comme le verrait un faucon. Mais trois sentiers s'ouvraient devant moi : un à gauche, un à droite, et un autre directement devant moi. Je ne savais pas lequel emprunter. Si Socrate était parvenu jusqu'ici des dizaines d'années auparavant, quel sentier avait-il choisi ?

Un sentiment d'isolement, d'abandon a déferlé sur moi. *Socrate, aide-moi*, l'ai-je imploré. *Je ne me suis jamais senti aussi seul.* La tête m'élançait.

Après cet épisode d'apitoiement sur moi-même, j'ai respiré profondément et j'ai bu quelques gorgées d'eau en aspergeant également mon front brûlant. Il fallait que je persévère, que je fasse confiance à mon instinct.

Soudain, j'ai entraperçu un mouvement au loin, le long du sentier, à ma gauche. Un cerf ou une chèvre de montagne ? J'ai plissé les yeux sous le soleil. Non, c'était un homme. Il avait les cheveux blancs. Et il portait une salopette. *Par cette chaleur ?* Je me suis rappelé le jour où j'avais secrètement suivi Socrate sur le campus de l'Université de Californie à Berkeley. La silhouette m'a fait penser à lui. Et puis, elle est disparue.

J'ai regardé à droite du sentier, et j'y ai vu l'homme. C'était impossible, mais il était là. Et puis, les contours de la silhouette se sont mis à vaciller et à s'estomper. Regardant de nouveau directement devant moi, j'ai cru l'apercevoir encore. À gauche, à droite, devant – chaque fois que je regardais dans l'une ou l'autre de ces directions, la silhouette était là, et puis elle disparaissait. Mon esprit fiévreux peinait à comprendre ce que ces visions pouvaient signifier.

Je me suis assis, j'ai fermé les yeux et j'ai versé un peu d'eau sur mes cheveux emmêlés de sueur. Tout à coup, j'ai eu un frisson qui m'a fait claquer des dents. *Comme c'est ironique*, ai-je pensé. *Ici, en haute altitude, je me trouve au point le plus bas de ma vie. Je ne sais pas quoi faire, quel sentier emprunter...* Et puis, je me suis rappelé que Socrate m'avait déjà dit : « Tes compétences analytiques sont utiles. Tout comme ton sens intuitif de la confiance, ta certitude intérieure. Utilise l'analyse et l'intuition – mais *pas en même temps*. »

Ici et maintenant, l'analyse ne me mènerait nulle part. Je ne pouvais pas trouver de solution rationnelle à cette situation. Il fallait que je fasse confiance à ce sens intérieur que Mama Chia m'avait aidé à maîtriser dans la forêt tropicale, il n'y avait qu'un mois de cela... Je me suis relevé, j'ai fermé les yeux et j'ai fait appel à ce sens de la certitude... J'ai ouvert les yeux et j'ai laissé errer mon regard à gauche, à droite, et devant moi. Trois silhouettes du même homme, des images fantômes de mon vieux mentor. Sauf que cette fois, deux d'entre elles ont vacillé et sont disparues. L'une est restée. Sur le sentier de droite.

Un jour, un sage a dit : « Comment savoir ce que je pense tant que je ne vois pas ce que je fais ? » Je me suis donc mis en route, plein d'entrain, en empruntant le sentier de droite – le droit chemin –, cheminant dans la foi, non dans la claire vision. Je pouvais toujours apercevoir la silhouette. Parfois, j'avais l'impression que je gagnais du terrain. Et puis, elle réapparaissait beaucoup plus loin. Lorsque j'ai atteint un plateau, elle n'était plus là.

J'avais garé ma camionnette près d'un panneau sur lequel on pouvait lire : « Altitude au sommet : 1 815 mètres. » J'avais probablement franchi une distance de 450 mètres de plus et je me trouvais à environ 1,5 kilomètre de la route. Il n'y avait aucun bruit, sauf celui du vent. Si ce n'avait été des avions qui laissaient de temps en temps une traînée blanche dans le ciel azuré, j'aurais aussi bien pu être la dernière personne à vivre sur la Terre. J'étais debout sur un plateau, l'un des points les plus élevés à des kilomètres à la ronde. Malgré la fièvre et les doutes qui m'assaillaient, j'ai eu le sentiment que je me rapprochais de *quelque chose*. Si je me trompais, je devrais persévérer, redescendre ou abandonner.

Et maintenant ? ai-je pensé en faisant les cent pas sur le plateau. Cette silhouette – le véritable Socrate ou une représentation démoniaque que je me faisais de lui – m'avait guidé jusqu'ici. Mais où chercher maintenant ? Et comment creuser à plus de cinq centimètres de profondeur dans ce sol calcaire ? *J'aurais dû être plus attentif pendant mes cours de géologie.*

Soudain pris de fatigue, j'ai eu un étourdissement. J'ai monté mon campement sur le plateau, balayant les cailloux et étendant mon sac de couchage à une dizaine de mètres du bord de la falaise. J'ai précautionneusement rampé jusqu'au précipice, mon ventre soutenu et étalé sur un affleurement de rocher, et j'ai regardé dans le vide qui s'étendait sur 150 à 200 mètres. J'ai laissé tomber un caillou qui a rebondi une fois sur une plaque de roc qui faisait saillie avant de disparaître. Ce perchoir précaire m'offrait une vue des montagnes et du désert au loin.

Le soleil était presque couché et je me suis donc installé pour la nuit. Blotti dans mon sac de couchage, un instant trempé de sueur et l'autre saisi de frissons, j'ai demandé à l'univers de m'envoyer un autre signe. Je ne demandais pas une flèche colorée indiquant un panneau qui disait « Creusez ici », ni un présage typique comme le passage d'un oiseau ou un coup de vent. Je voulais un signe qui m'éblouirait.

Les signes et les présages sont étranges ; lorsqu'on les cherche, ils apparaissent tôt ou tard. Je n'ai pas eu à attendre longtemps.

Je me suis réveillé pendant la nuit. Couché sur le dos, je pouvais admirer le firmament constellé d'étoiles. Et puis, j'ai figé en apercevant, en très gros plan, ce qui m'avait tiré du sommeil. Les yeux qui louchaient, j'ai vu au-dessus du bout de mon nez le corps segmenté et comme revêtu d'une armure d'un scorpion vert qui s'engageait sur mon visage. J'ai involontairement serré les lèvres, et sa queue en forme de fouet est soudain apparue dans mon champ de vision juste avant qu'il ne me pique entre les sourcils.

Laissant échapper un cri perçant, j'ai battu l'air pour me débarrasser de mon assaillant miniature, me frappant le visage avec une telle force que j'ai cru m'être fracturé le nez. Mes jambes se sont empêtrées dans mon sac de couchage pendant que j'essayais de me mettre sur pied. Mon cœur battait si fort que je sentais le sang battre dans ma tête. Quand j'ai vu la bestiole déguerpir, je me suis assis lourdement. Ce n'était pas le sac de couchage qui me gênait. Je ne pouvais tout simplement pas me tenir debout ; mes jambes ne me portaient plus, et le front a commencé à m'élancer.

Ma vision s'est obscurcie, s'est éclaircie, et s'est obscurcie de nouveau. Je me suis mis à trembler, et une vague de nausées s'est abattue sur moi. Tour à tour, j'éternuais et je bâillais. J'avais l'impression que mon cœur s'arrêtait parfois de battre. Je me suis étendu sur le dos et j'ai sombré dans un sommeil agité. Je me suis retrouvé dans un lieu fait d'ombres et de formes ondulant dans le noir.

Je me suis dressé sur mon séant, ou j'ai rêvé que je le faisais. Le plateau baignait dans une lumière rougeâtre. J'ai bondi sur mes pieds, plus du tout troublé par l'aiguillon du scorpion, et je suis parti, sans but, dans ce décor sinistre baigné par le clair de lune. Mes pas ne produisaient aucun bruit. Un renard a surgi de nulle part et a lentement tourné la tête, le museau pointé vers un arbre solitaire, balafré par la foudre, dressé non loin du bord du précipice, à demi avalé par l'obscurité.

L'instant suivant, une bourrasque de vent, réelle ou imaginaire, m'a frappé avec une telle force que je suis tombé. Lorsque je me suis relevé, l'arbre solitaire n'était plus là. Ni ma fièvre. J'ai marché jusqu'à l'endroit où s'était tenu le renard, à moins de trois mètres du précipice. À ma grande surprise, la tige minuscule d'une plante a émergé de la surface pierreuse, directement devant moi, et a grandi rapidement, comme si le temps s'était accéléré. Un long et gracieux pédoncule en forme de trompette est apparu. Une pensée m'a traversé l'esprit : *La trompette annonce la venue...*

La partie supérieure du pédoncule s'est ouverte et a fleuri, révélant un vieux livre au milieu des pétales – mince, avec une couverture en cuir rougeâtre et un fermoir de métal. Lentement, j'ai tendu la main vers lui...

11

J e me suis réveillé en marmonnant : « Soif… Soif. »
Quittant lentement le monde onirique, je me suis tâté
le front et j'ai pris ma gourde. Pendant que j'étanchais
ma soif, mon rêve monopolisait mon attention. Il devait être
là – sous mes pieds. Mais le journal n'était pas enterré sous
mes pieds. Il attendait *dans* la montagne, caché dans une
grotte, comme une source sacrée.

Toujours secoué par la rude épreuve de la nuit, j'ai
rampé jusqu'au bord du précipice et j'ai encore une fois
regardé en bas. Je savais maintenant quoi chercher. Mon
cœur s'est emballé lorsque j'ai aperçu une faille profonde
à environ 2,5 mètres sous l'affleurement – peut-être l'entrée
d'une grotte.

Socrate m'avait dit un jour : « Au combat comme dans
la vie, si tu commences à trop réfléchir, tu es mort. » Le
temps de passer à l'action était venu. Avec cette résolution,

mes doutes se sont dissipés. Je me suis assis quelques instants, respirant lentement et profondément, comme Socrate me l'avait enseigné – n'inspirant pas seulement que de l'air, mais aussi de la lumière, de l'énergie, de la force. Lorsque je me suis senti prêt, j'ai chargé mon sac sur mon dos et j'ai basculé la moitié de mon corps dans le vide.

Pendant quelques secondes, je suis resté suspendu de façon précaire sur le promontoire de pierre, la faille ne se trouvant qu'à un demi-mètre sous mes bottes. De ma position, je pouvais voir clairement que l'ombre sous moi était effectivement l'entrée d'une grotte. Juste sous l'entrée se trouvait un autre affleurement, plus étroit. Si je lâchais prise, pourrais-je atterrir là? Mon instinct de gymnaste disait oui.

J'ai commencé à me balancer doucement d'avant en arrière. Encore une poussée et j'ai lâché prise. Je me suis arqué et j'ai atterri sur l'affleurement. Mais le poids de mon sac à dos m'a presque fait basculer vers l'arrière dans le vide. Projetant mes hanches vers l'avant, j'ai retrouvé mon équilibre et je me suis glissé dans la grotte, à l'intérieur de la montagne.

Je haletais, euphorique, mon cœur martelant un vif staccato. C'était un sentiment que j'avais ressenti à plusieurs reprises dans le passé, chaque fois que je touchais le sol après un dangereux mouvement à la barre fixe. Sondant mon corps à la recherche d'une douleur ou d'une blessure, je n'ai rien trouvé. Je me suis donc redressé, demeurant en position accroupie, et j'ai regardé autour de moi en réfléchissant. *Socrate a choisi cet endroit, caché de tous, connu seulement des oiseaux de proie – où volent les faucons –, protégé des intempéries.*

J'ai avancé à quatre pattes, m'enfonçant plus profondément dans la grotte faiblement éclairée. Alors que mes yeux s'ajustaient, j'ai vu que quelque chose était posé sur une saillie de pierre. Je me suis approché. C'était le journal. Mes yeux se sont remplis de larmes alors qu'un mélange de fatigue et d'exultation affluait en moi, renouvelant ma foi en moi-même et au miracle de la vie. J'ai saisi le livre des deux mains pour m'assurer qu'il n'était pas une illusion. J'ai senti l'âme de la vieille femme qui l'avait confié à Socrate, il y avait de si nombreuses années, et aussi une partie de son âme à lui. Je l'ai serré sur mon cœur, comme on tient un enfant. Je l'avais trouvé.

Je me suis permis de savourer quelques instants d'allégresse, d'exultation.

Je savais que de tels moments ne durent pas. « Les émotions passent comme le vent », m'avait un jour rappelé Soc. Ce sentiment de joie pure a persisté une dizaine de secondes.

Maintenant, ai-je pensé, *il ne me reste qu'à trouver le moyen de retourner là-haut…*

C'est là que j'ai réalisé que j'avais été tellement absorbé par la façon de *pénétrer* dans la grotte que je n'avais pas songé à la façon d'en *sortir*. Cela avait été relativement facile de descendre, même si mes nerfs avaient été mis à rude épreuve ; la gravité avait fait la majeure partie du travail. Mais il fallait maintenant que je remonte.

Laissant le journal là où je l'avais trouvé, j'ai rampé jusqu'à l'entrée de la grotte et j'ai regardé vers le haut. Le surplomb qui se trouvait à près de trois mètres au-dessus de moi, une protubérance d'une largeur d'environ un demi-mètre sans prise visible, semblait inatteignable. C'était sans doute impossible d'y arriver.

Mais je ne me résolvais pas à considérer la tâche impossible, du moins pour moi. Mais après avoir médité sur la chose, j'ai dû envisager la possibilité de mourir piégé dans cette grotte, ou d'une chute en tentant de grimper. *Une énigme*, ai-je pensé. *Très bien, qu'est-ce que Papa Joe me conseillerait? Ou ce fripon de Socrate qui m'avait mis dans ce pétrin?*

Reportant ma décision, ou tout geste impulsif, je me suis assis dans la gueule de la grotte, les pieds pendant dans le vide, laissant le journal et mon sac à dos loin derrière moi. J'ai balayé du regard le panorama qui s'ouvrait devant moi, observant un faucon qui volait en spirale au loin, porté par un courant chaud. Je suis retourné dans la grotte et j'ai pris le journal, me demandant s'il pourrait m'offrir l'inspiration dont j'avais besoin, ou une piste sur la façon de sortir de là…

Où se trouve la clé? J'ai exploré la saillie de pierre et le sol de la grotte, mais je ne l'ai pas trouvée.

Songeant que la clé de mon propre journal pourrait peut-être ouvrir ce vieux livre, je suis retourné m'asseoir à l'entrée de la grotte. J'ai fouillé dans l'une des pochettes de mon sac et j'en ai retiré ma clé. Ma main tremblait alors que je l'insérais dans la serrure du fermoir. J'ai poussé plus fort et je l'ai tournée. Ma main a glissé et j'ai vu la clé tomber, rebondir sur le sol de pierre et disparaître dans le vide. Je suis presque tombé moi-même en tentant de la rattraper pendant qu'elle ricochait sur l'affleurement et disparaissait hors de ma vue avec une finalité qui m'a donné la nausée.

J'ai pensé aux paroles de Papa Joe : « Vous avez tout le temps qu'il vous faut pendant le temps qu'il vous reste. » Me restait-il du temps ? *Suis-je arrivé jusqu'ici uniquement pour terminer mes jours à quelques pas seulement de l'avenir ?* Je n'arrivais pas à y croire – je ne voulais pas ! Pas avec le secret de la vie éternelle à portée de la main. (L'ironie de la situation était inéluctable – tout comme, semblait-il, la grotte.) Dans un moment de panique, je me suis mis à respirer rapidement.

Ensuite, je me suis rappelé ce que m'avait déjà dit un plongeur de la Marine : dans un moment d'étourderie, il s'était introduit dans une crevasse sous-marine, seul, sans dérouler derrière lui un fil de nylon afin de retrouver son chemin. La plongée avait semblé facile jusqu'à ce qu'il se retrouve dans une petite grotte et qu'il ait perdu de vue l'endroit où il était entré. Lui aussi avait commencé à paniquer lorsque, dans son imagination, il avait vu la grotte se transformer en tombeau sous-marin. Sa formation et un coup d'œil sur la jauge de sa bonbonne d'oxygène l'avaient calmé : il lui restait 20 minutes. Il a inspiré profondément et lentement, et a remarqué que les bulles d'air qu'il relâchait dérivaient vers le bas, ce qui signifiait qu'il faisait face au plafond de la grotte. Il a nagé vers le bas et a ensuite longé le périmètre jusqu'à ce que l'entrée (ou la sortie) apparaisse. Il ne lui restait que 10 minutes d'oxygène.

J'avais de l'oxygène en abondance et beaucoup de temps. Il fallait seulement que je trouve une solution. Je me suis rappelé comment un ami m'avait taquiné parce que je croyais aux miracles. « Je ne crois pas aux miracles, lui avais-je dit, je me fie sur eux. » Il m'en fallait un maintenant.

Je me suis donc posé une question que je m'étais surpris à répéter à plusieurs reprises au cours de la dernière décennie : *Qu'aurait fait Socrate dans cette situation?* Et puis, j'ai pensé : *Attends une minute! Qu'avait-il fait? Comment un homme de 76 ans, fiévreux, a-t-il pu entrer ici et ensuite en sortir?*

Une solution possible est apparue, encore une fois par l'intermédiaire d'un scorpion. Je l'ai vu qui avançait allégrement dans l'obscurité. Je l'ai suivi en demeurant à une distance respectueuse. La grotte était beaucoup plus profonde que je ne l'avais cru. *Socrate n'aurait pas pu remonter en escaladant la paroi extérieure. Il devait nécessairement y avoir une autre issue.*

Bien sûr! Il y avait une autre entrée. Une sortie. Il fallait qu'il y ait un moyen commode de sortir de cette grotte.

Maintenant rempli d'espoir, presque pris de vertige, j'ai décidé de refaire mes bagages. Dans la semi-pénombre, j'ai soigneusement vidé mon sac et placé le mince journal de Soc en sécurité tout au fond, et j'ai posé par-dessus mes quelques vêtements, mon propre journal, le samouraï et la poupée kachina. Passant les courroies du sac sur mes épaules et tenant ma lampe de poche à la main, je me suis enfoncé à l'intérieur de la grotte, montant et descendant le long d'un étroit tunnel. Toujours vigilant à cause des insectes.

Les espaces exigus étaient une chose que j'aimais encore moins que les scorpions et les araignées. Je sentais maintenant que le plafond était de plus en plus bas, jusqu'à ce que l'espace devienne si étroit que j'ai dû me tortiller pour retirer mon sac à dos, attacher les courroies à mes bottes et le traîner derrière moi sur une distance de quelques mètres, jusqu'à ce que le plafond soit plus haut. Le soulagement a fait place à l'allégresse lorsque j'ai vu un rayon de soleil plus loin. Éteignant ma lampe de poche, je me suis hâté vers la lumière.

J'ai alors eu l'une des plus grandes déceptions de ma vie. Là où il y avait déjà eu une ouverture se trouvait maintenant un amoncellement de grosses pierres. Le rayon de soleil que j'avais vu pénétrait dans la grotte par quelques fentes à travers lesquelles je pouvais apercevoir le ciel bleu. Le scorpion est réapparu, est passé lentement à côté de moi et est disparu dans une petite ouverture pour se retrouver à l'air libre. Une autre brèche à la hauteur de ma poitrine m'a permis de sortir un bras, mais pas plus. Un glissement de terrain ou un affaissement de rochers avait dû se produire depuis l'époque où Socrate avait caché son journal.

Dans un élan de désespoir, j'ai tenté de toutes mes forces de déloger une pierre, mais elles étaient si étroitement imbriquées l'une dans l'autre que rien n'a bougé – même en utilisant ma pioche comme levier. Si près du but et pourtant encore si incroyablement loin! Frappant sur les pierres, j'ai hurlé ma frustration.

Ensuite, me rappelant l'histoire du plongeur, je me suis calmé, j'ai fait demi-tour et je suis retourné là d'où je venais. Il n'y avait rien d'autre à faire.

De retour à l'entrée de la grotte, je me suis penché au-dessus du précipice et j'ai de nouveau examiné la paroi pour voir si je pouvais y avoir prise. Rien.

Il me restait ma pioche. Je me suis penché dans le vide et j'ai frappé la paroi, mais j'avais peu d'appui et voyait à peine ce que je faisais. Après de nombreuses tentatives, j'ai regardé en haut et j'ai vu que je n'avais réussi qu'à faire une petite entaille dans la pierre, à mi-chemin environ du surplomb.

C'est là que j'ai fait une découverte : à un peu plus d'un mètre au-dessus de moi, ce que j'avais pris pour une ombre sur la paroi rocheuse était en fait une fissure qui pourrait m'offrir une prise solide, avec une seule main. Si je pouvais l'atteindre, je pourrais peut-être me hisser au sommet au moyen de ma pioche. J'ai remis mon sac sur mes épaules et je me suis préparé à ce qui serait, d'une manière ou d'une autre, mon ascension finale.

À l'aveuglette, je me suis étiré et j'ai cherché la fissure avec la pioche. J'y ai inséré la lame et j'ai tiré. La pierre a tenu bon. Très lentement, je suis sorti de la grotte et me suis hissé avec peine en m'aidant des deux mains sur le manche de la pioche jusqu'à ce que je puisse glisser trois doigts dans la petite cavité. Suspendu par la main gauche, j'ai fait une traction du bras. La main droite refermée sur l'extrémité du manche de la pioche, je l'ai propulsée vers le haut...

L'acier incurvé a agrippé l'extrémité du surplomb.

J'ai libéré ma main gauche et je me suis de nouveau hissé vers le haut en m'aidant du manche de la pioche –

lentement, sûrement, bandant tous mes muscles, le poids de mon sac me tirant vers le bas. J'ai posé la main gauche sur le bord de l'affleurement. Ensuite, pendu dans le vide, j'ai lâché la pioche et j'ai trouvé une prise avec la main droite. J'ai entendu la pioche ricocher sous moi, et puis le silence. Puisant dans les forces qui me restaient, je me suis hissé sur le surplomb, un avant-bras à la fois. Luttant pour ma vie, j'ai enfin pu passer une jambe sur la surface, et puis l'autre, pour enfin m'y retrouver haletant, face contre terre.

12

Un étrange sentiment d'irréalité s'est emparé de moi. Je n'étais pas sûr d'avoir jamais quitté ce plateau où j'étais maintenant étendu, étreignant le sol.

Après avoir retrouvé mon souffle, j'ai retiré le sac de mes épaules et je me suis retourné sur le dos en le serrant sur ma poitrine, le regard perdu dans l'azur du ciel.

J'ai fermé les yeux, savourant le moment, sentant le soleil sur mon visage encore une fois.

Et puis, une ombre a caché le soleil. Une sensation, un soupir ténu, une présence toute proche. J'ai brusquement ouvert les yeux et je me suis assis. Je me suis retourné et puis j'ai souri, surpris.

« Pájaro ! Mais qu'est-ce que vous faites là ? Comment avez-vous…

— En fait, j'ai toujours les cinq dollars que vous m'avez donnés. Je veux vous les rendre en échange du journal qui se trouve dans votre sac. »

Soudain, j'ai tout compris : Pájaro était cet homme contre qui Papa Joe m'avait mis en garde. C'est probablement à cause de lui qu'il était disparu lorsque j'étais entré dans ce café. Mon instinct ne m'avait pas trompé. Quelqu'un m'avait effectivement observé. Et suivi. Pájaro était maintenant vêtu d'un pantalon de coton d'une couleur sombre et d'une chemise à manches longues du même tissu. Et il pointait avec désinvolture un pistolet dans ma direction. La seule pensée qui me soit venue à l'esprit est : *Comme c'est étrange – les Bédouins aussi portent des couleurs sombres dans le désert.*

Faisant un pas en avant, tenant fermement son pistolet, Pájaro m'a arraché le sac des mains. Sans me quitter des yeux, il a reculé d'environ trois mètres. « Allongez-vous sur le ventre ! », a-t-il dit d'un ton autoritaire. J'ai obéi, mais en gardant la tête suffisamment levée pour le voir reculer d'encore six mètres – pour mettre de la distance entre nous, je présume – avant de s'agenouiller, me tournant légèrement le dos, et de vider mon sac de son contenu. J'ai entendu, plus que vu, mes possessions se répandre par terre. Après avoir vérifié que le sac était vide, il l'a jeté de côté. D'où je me trouvais, je ne voyais pas ce qu'il faisait exactement, mais j'ai supposé qu'il fouillait dans mes vêtements et écartait le samouraï et la poupée kachina.

J'ai commencé à bouger, uniquement pour mieux répartir mon poids, lorsqu'il a fait volte-face et a pointé son pistolet sur moi. « On ne bouge pas », a-t-il dit.

Je suis resté immobile.

S'il était assez fou ou désespéré pour me tuer, il l'aurait probablement déjà fait. *Inutile de le provoquer*, me suis-je dit ; *il peut toujours changer d'idée*. J'ai réalisé à quel point j'étais vulnérable ici, au sommet de cette montagne, à plus de 1000 mètres d'altitude, et à des kilomètres de la civilisation.

Mon cœur s'est serré lorsque Pájaro a semblé trouver ce qu'il cherchait et l'a glissé dans un petit sac. Il s'est relevé, laissant mes affaires éparpillées sur le sol. J'ai entendu sa respiration accélérer sous l'effet de l'excitation.

Je ne reverrais plus jamais ce journal.

Il s'est tourné vers moi. « Où est la clé ?

— Je ne l'ai pas », ai-je dit en toute honnêteté. Il s'est de nouveau agenouillé et a fouillé les pochettes latérales de mon sac, y trouvant mon porte-monnaie et quelques accessoires de toilette. Il m'a dit de me relever et de vider mes poches, ce que j'ai fait. Satisfait, il m'a ordonné de me remettre à plat ventre, et puis il a dit : « Je ne suis pas ici pour vous voler. Je ne fais que reprendre ce qui m'appartient de droit. » Ensuite, avec un grand geste victorieux, et d'un ton étrangement intime, il a ajouté : « Je vais lire ce journal sur la tombe de mon père. »

L'histoire qu'Ama m'avait racontée m'est venue à l'esprit. *C'est donc ça*, ai-je pensé. *Il est le fils du jardinier !* Dans un élan de compassion, je l'ai supplié, pour son bien comme pour le mien : « Ne faites pas ça, Pájaro ! C'est une err… »

Au moment où je levais la tête, j'ai aperçu l'esquisse d'un mouvement. Et puis le monde a explosé et tout est devenu noir.

Je suis revenu à moi avec une migraine et une bosse sur la tête. Maintenant seul, j'ai rampé jusqu'à mon sac et mes affaires répandues sur le sol, ayant peine à croire qu'il ait tout laissé – vêtements, gourde, porte-monnaie et même les cinq dollars qu'il me devait, tout y était. Tout sauf le journal.

Je n'arrivais pas à me résoudre à faire une dernière vérification. Ne sachant pas, je pouvais toujours espérer. Mais je ne pouvais pas attendre plus longtemps. J'ai glissé la main au fond de mon sac et j'ai eu le souffle coupé lorsque j'ai senti le mince journal de Socrate sous l'accroc dans la doublure. Je l'avais placé là lorsque j'avais refait mon sac, plus par instinct que par prévoyance.

Lorsque Pájaro avait vidé le sac, le journal n'avait fait que glisser plus loin dans la doublure. Il cherchait, et avait trouvé, un journal plus épais, muni d'un fermoir. Le mince volume n'avait dû lui sembler qu'un renfort de carton au dos du sac.

J'ai sorti la main du sac, tenant le livre que Socrate avait confié à Nada de si nombreuses années auparavant, et maintenant en sécurité sous ma garde.

Mais pas pour longtemps si je m'éternisais là.

Pájaro avait pris mon journal personnel qui ne contenait que quelques notes de voyage éparses. Combien de temps lui faudrait-il pour se rendre sur la tombe de son père ? C'était peut-être tout près. Ou il s'était peut-être arrêté en chemin, dévoré par la curiosité, et avait coupé la sangle.

Il fallait que j'agisse rapidement. Comment réagirait-il quand il découvrirait que je l'avais en quelque sorte trompé ?

Encore secoué, je me suis relevé et me suis mis en route, et puis j'ai couru en trébuchant jusqu'à la base de la montagne.

Au cas où je me remettrais rapidement et le suivrais, Pájaro avait tailladé deux des pneus de la camionnette. Abandonnant cette dernière, j'ai descendu le long d'une pente sur une distance d'environ 300 mètres pour rejoindre une autre route et j'ai attendu pendant les 30 plus longues minutes de ma vie qu'un camionneur me prenne en stop. Soulagé, je lui ai dit que je lui offrirais le déjeuner au pro-chain relais routier, et puis je me suis laissé glisser sur le siège comme pour faire une sieste. J'étais épuisé et j'avais encore mal à la tête, mais j'étais beaucoup trop nerveux pour dormir. Dans cette position, je ne pouvais être vu des automobilistes que nous croisions et je me suis concentré sur la route devant moi.

Il était temps que je quitte le pays.

13

Au relais routier, j'ai donné de l'argent au camionneur pour son repas et je lui ai rapidement serré la main en m'excusant. D'un téléphone public situé à l'extérieur, j'ai communiqué avec l'agence de location pour signaler l'acte de vandalisme et l'emplacement du véhicule en précisant que je trouverais un autre moyen de transport. Et puis, j'ai appelé une compagnie aérienne et j'ai réservé un billet pour le Japon, à partir de LAX le lendemain. J'ai pensé téléphoner à ma fille, et puis à Ama, mais j'ai décidé que cela devrait attendre. Il fallait d'abord que je trouve le moyen de me rendre à Los Angeles.

J'ai demandé à plusieurs personnes qui retournaient à leur voiture si elles allaient dans cette direction. Finalement, un type costaud et barbu a ouvert la portière d'une vieille Chevy Camaro et m'a fait monter. Chaque fois que nous croisions un véhicule, je m'enfonçais toujours eu peu plus dans mon siège, ce qui a semblé amuser le conducteur. « Vous fuyez le fisc ?

— Quelque chose comme ça. »

Comme la Camaro, mon esprit s'est mis en mode turbo alors que nous filions dans le désert et approchions du comté de Los Angeles. Je devais tenir compte du fait que Pájaro – le fils du jardinier – me cherchait sans doute à l'heure qu'il était, ou qu'il se lancerait bientôt à ma poursuite.

Lorsque le conducteur m'a laissé à quelques kilomètres de LAX, le lendemain matin, j'ai marché jusqu'à l'entrée d'un motel voisin en espérant y trouver un taxi. J'ai ressenti une satisfaction passagère en payant le chauffeur avec le billet de cinq dollars que Pájaro avait laissé par terre après m'avoir assommé.

Après m'être inscrit et avoir obtenu ma carte d'embarquement, j'ai acheté un autre canif, un nouveau carnet, deux stylos, une casquette de baseball, un tee-shirt, une petite serviette et quelques articles de toilette. J'ai mis mon portemonnaie, mon passeport, la lettre de Soc et environ 180 $ de l'argent qu'il me restait dans une pochette. J'ai vérifié que le journal était toujours en sécurité sous la doublure de mon sac.

Dans une salle de bain, j'ai retiré ma chemise trempée de sueur et je l'ai jetée dans une poubelle. J'ai enfilé une paire de chaussettes propres et enlevé la poussière de mes bottes de randonnée. Après m'être lavé le visage, la poitrine et les aisselles, j'ai revêtu le tee-shirt de touriste, passé le cordon de mes verres fumés autour de mon cou et me suis coiffé de la casquette de baseball.

Maintenant moins reconnaissable et avec toutes mes possessions replacées dans mon sac, j'ai entendu l'annonce de l'embarquement de mon vol. Je me suis précipité à la barrière, abandonnant pour le moment l'idée de téléphoner à ma fille ou à Ama. Vigilant, sinon légèrement paranoïaque, je regardais constamment par-dessus mon épaule, scrutant le hall d'embarquement et les autres voyageurs.

M'efforçant de rester bien conscient de ce qui m'entourait, je suis monté à bord de l'avion qui ferait une escale à Hong Kong pour finalement continuer jusqu'au Japon. Lorsque la porte de l'appareil a été fermée et qu'il s'est mis à rouler sur le tarmac, j'ai poussé un soupir de soulagement et j'ai sombré dans le sommeil en ayant une pensée réconfortante : *si je ne connais pas ma prochaine adresse, alors lui non plus.*

Je me suis réveillé en sursaut dans la pénombre. Il m'a fallu quelques instants pour me rappeler où j'étais. De mon siège côté hublot, j'ai regardé les deux passagers qui se trouvaient à ma droite. Ils dormaient. J'ai retiré mon sac de sous le siège. M'emparant soigneusement du journal, j'ai fixé le fermoir métallique qui, ai-je conclu, s'ouvrait avec une clé ancienne. Socrate devait avoir eu la clé. Pourquoi ne l'avait-il pas laissée avec le journal ? J'ai tenté de l'ouvrir en y insérant la pointe de mon canif, mais sans succès. J'aurais pu couper la sangle, mais quelque chose m'en a empêché. Ce n'était pas comme profaner le tombeau d'un pharaon, mais cela ne m'apparaissait pas correct. J'ai encore tenté d'ouvrir le journal en exerçant une pression sur le fermoir. Il a tenu bon.

J'ai remis le journal dans mon sac avec l'intention de m'assoupir, convaincu que mon subconscient trouverait une solution. Mais dès que j'ai fermé les yeux, la poupée kachina est apparue dans mon esprit, et je me suis rappelé les paroles de Papa Joe : « Je vous ai donné tout ce que j'ai pu. » Et puis, j'ai pensé : *C'est un cadeau pour ma fille, rien de plus.* Toutefois, j'ai ouvert mon sac et j'ai trouvé la poupée sous mes chemises et mes sous-vêtements. J'ai tâté la base recouverte de papier sur laquelle elle était fixée et j'ai senti qu'elle était inégale. J'ai retourné la poupée et j'ai pressé à cet endroit. Le papier s'est déchiré en un demi-cercle. J'ai secoué la poupée et une clé ancienne, enveloppée dans une bandelette de papier est tombée dans ma main. Sur le bout de papier, j'ai lu un mot qui avait été écrit d'une main tremblante : ¡*Exactamente!* J'ai repris le journal et j'ai inséré la clé dans le fermoir. Il s'est ouvert.

Socrate avait dû donner la clé à Papa Joe pour des raisons qui lui étaient propres. Ou Papa Joe l'avait prise. D'une manière ou d'une autre, il avait choisi de me la donner. J'ai senti un élan d'affection pour le vieil homme. Et aussi pour Ama. Je l'appellerais bientôt pour lui raconter ce qui était arrivé.

J'ai ouvert le journal à la première page. J'y ai trouvé le texte que mentionnait Socrate dans sa lettre. J'ai relu l'histoire, écrite de la main de Nada, à propos du serviteur qui se réfugie à Samarra. Je me suis demandé : *Est-ce que Samarra est un endroit réel, ou n'est-ce qu'un rappel pour nous tous ?*

J'ai tourné la page, j'ai feuilleté le mince carnet, et j'ai vu que Socrate avait noirci une vingtaine de pages, tout en laissant presque autant de pages vierges. Mais la fièvre avait fait ses ravages : au lieu du texte lucide que la lettre de Soc m'avait permis d'espérer, je n'ai trouvé que des phrases incomplètes, des pensées, des notes. Si son subconscient avait suivi un fil cohérent, je ne le voyais pas encore. C'était davantage un ramassis d'idées qu'une thèse solide. C'était presque comme si Socrate avait tracé un canevas afin que quelqu'un d'autre s'en inspire. Quelqu'un comme moi.

J'ai senti une poussée d'adrénaline suivie par un sentiment d'angoisse (ou peut-être dans l'ordre inverse). Peut-être que Socrate avait ressenti quelque chose de similaire lorsqu'il avait lu la note de Nada l'encourageant à remplir ces pages.

Il m'avait passé le flambeau. Une étrange excitation m'a parcouru l'épine dorsale à la manière d'un serpent – un sentiment de déjà-vu – alors que je réalisais que Socrate, l'ancien Grec, était un orateur. C'est son élève et confrère Platon qui avait mis ses paroles par écrit. *Mais je ne suis pas Platon !* ai-je pensé.

Il faudrait que j'étudie ce que Soc avait écrit. Il faudrait que je lise ses notes à de nombreuses reprises, que je les mémorise, et puis que je les laisse mûrir en moi afin de leur donner forme. Et ensuite, peut-être – en puisant dans son enseignement – pourrais-je mettre à profit mon propre discernement pour développer ses idées, les étayant au besoin, les interprétant, et finalement écrire quelque chose qui rendrait hommage à sa sagesse. Je comprenais maintenant la responsabilité que Socrate avait dû sentir peser sur ses épaules lorsqu'il s'était retrouvé devant ces pages blanches. Et puis, j'ai sombré dans un profond sommeil et je ne me suis réveillé que lorsque l'avion a touché le sol à Hong Kong.

L'avion a longtemps roulé sur la piste avant d'atteindre le terminal. Entre-temps, le pilote a annoncé : «À cause d'un problème technique, nous aurons un retard d'environ quatre heures. Sentez-vous libres de descendre, mais ne vous éloignez pas de la zone d'embarquement.» Et puis, j'ai pensé : *Et si je ne remontais pas à bord? Et si j'en profitais pour explorer la ville?* Un arrêt imprévu ne changerait pas grand-chose. De plus, Hong Kong était reconnue pour ses praticiens du taï-chi et autres arts martiaux chinois. Je pourrais rendre visite à quelques professeurs, m'informer à propos d'écoles qui sortaient des sentiers battus. Un autre plan plutôt vague, mais il semblait que c'était mon lot dernièrement. Je pourrais même mentionner le nom de Socrate ici et là. J'ai averti la compagnie aérienne de mon changement de programme, j'ai passé les douanes et je suis sorti de l'aéroport.

DEUXIÈME PARTIE

Le maître de la forêt de Taishan

« Tous les êtres humains devraient essayer
de comprendre, avant de mourir, ce qu'ils fuient,
où ils vont, et pourquoi. »

— JAMES THURBER

« Pour être béni dans la mort, il faut apprendre à vivre.
Pour être béni dans la vie, il faut apprendre à mourir. »

— PROVERBE MÉDIÉVAL

14

Incapable de dormir à cause de l'excitation et du décalage horaire, j'ai marché dans l'air lourd qui pesait sur les rues de plus en plus sombres et maintenant vides, exception faite de quelques commerçants qui balayaient ou arrosaient le trottoir. Je suis passé devant les vitrines de boutiques de vêtements tapissées de pancartes sur lesquelles on pouvait lire le mot « Vente » en anglais et en caractères chinois, devant des bijouteries, des banques et un cinéma qui présentait le nouveau film de Shaw Brothers, *Le boxeur spirituel*. Cette heure du soir dans la ville faisait penser à un coffre à bijoux qui se refermait lentement.

Vers l'aube, je me suis retrouvé sur un quai donnant sur le port Victoria et j'ai vu un traversier qui avançait dans l'eau noire, y déformant le reflet de la ville moderne illuminée. Je suis resté là à attendre un signe. *Un petit signe,* ai-je pensé, *qui confirmerait la justesse de ma décision.*

Un verre de carton a dérivé avec le courant, et puis un mégot de cigarette. On pouvait s'attendre à mieux en guise de présages.

Alors que le soleil se levait, je suis retourné à ma minuscule chambre, déterminé à étudier les notes inscrites dans le journal de Soc, mais le sommeil m'a emporté, la main posée sur la couverture du cahier, et j'ai dormi pendant une bonne partie de la journée.

À mon réveil au début de l'après-midi, j'ai acheté une carte postale dans un kiosque touristique et je l'ai postée à ma fille. Pour elle, j'aurais volontiers fait un appel téléphonique hors de prix, mais j'ignorais si sa mère et elle se trouvaient toujours au Texas ou si elles étaient en route pour la maison, en Ohio. Donc, la carte postale ferait l'affaire pour le moment. Et je voulais toujours appeler Ama ; je sentais que je le lui devais pour l'aide qu'elle m'avait apportée. Mais le décalage horaire compliquait les choses.

J'ai repéré au hasard quelques écoles d'arts martiaux où l'on enseignait la boxe de Shaolin, le kung-fu, le taï-chi-chuan et le Qi Gong. Elles n'avaient pas cette auréole d'« orient mystérieux » même si les quelques élèves que j'y ai vus étaient chinois. J'ai pu parler à un instructeur pendant une pause cigarette et lui demander (en me sentant ridicule) s'il avait déjà entendu parler d'une « école cachée », l'école de la vie ; pour toute réponse, il m'a raconté l'histoire d'une école qui, selon la tradition, avait existé autrefois.

Toutes les autres écoles que j'ai trouvées n'ont suscité chez moi qu'un intérêt de courte durée. J'ai pris quelques notes au sujet des arts martiaux qui composaient leur cursus en vue du rapport que je devrais soumettre au grand comité de mon établissement d'enseignement. Sinon, je déambulais dans les rues et les ruelles, inhalant les arômes exotiques d'aliments que je ne connaissais pas. Je tournais à droite ou à gauche en me laissant guider par mon instinct ou mon intuition.

Pendant ces recherches symboliques, nourrissant peu d'espoir de trouver quelque chose qui sorte de l'ordinaire, je demeurais préoccupé par la tâche qui m'avait été confiée. *Quand commencerais-je à écrire?* Mais en premier lieu, je devais trouver cette école cachée, l'école de la vie, quelque part en Asie, comme Socrate me l'avait demandé. J'avais le sentiment qu'elle était au Japon. *Alors, qu'est-ce que je fais ici?* Diverses voix se mêlaient dans ma tête, mais aucune ne m'apparaissait vraiment comme la mienne.

Finalement, après avoir effectué une boucle, je suis revenu dans la baie de Kowloon qui, géographiquement parlant, séparait Hong Kong de la République populaire de Chine – la Chine de Mao. Je n'avais aucune envie de visiter un endroit où je serais vu comme un « chien impérialiste », aboyant et remuant la queue comme le Pluto de Disney, ce qui m'a fait penser à Platon, qui à son tour m'a fait penser au journal qui attendait que je me penche sur lui.

J'ai passé encore une journée à sillonner le centre-ville et les banlieues, traversant parfois des lieux où j'étais déjà venu. J'espérais toujours que cette quête porterait ses fruits comme cela avait été le cas à Hawaï quatre semaines auparavant. Mais cette île tropicale m'apparaissait maintenant tellement loin, dans le temps comme dans l'espace, et le

Japon restait un espoir, une idée, un point sur la mappe-monde. Ma propre réalité s'inscrivait dans le présent, et il me fallait admettre que cela n'avait rien de bien prometteur.

Ce soir-là, j'ai observé un cafard avancer tranquillement sur le drap fripé de mon lit. Je l'y ai délogé d'une chiquenaude ; il a atterri sur le sol, s'est remis d'aplomb sur ses pattes et a continué sa route, imperturbable. *Me survivrait-il ?* me suis-je demandé. J'avais déjà vu nombre de ces insectes qui semblaient tous savoir mieux que moi où ils allaient. *Si seulement j'étais un chien impérialiste*, ai-je songé, *mon flair me permettrait peut-être de repérer quelques possibilités.*

J'ai levé les yeux vers les fissures qui zébraient le plafond. Les pales d'un ventilateur à la fenêtre cliquetaient en poussant vers moi un air chaud, lourd et malodorant – la fenêtre donnait sur un amoncellement d'ordures dans la ruelle. Hong Kong, comme la plupart des grandes villes, changeait de visage selon ses visiteurs. Je me trouvais dans la Hong Kong réservée au voyageur à petit budget, un professeur vagabond qui avait eu la chance de trouver un bon emploi dans une petite ville universitaire loin, très loin, alors que les pales du ventilateur de ma vie tournaient maladroitement.

Le lendemain, juste avant l'aube, j'ai décidé de faire une dernière promenade dans un parc avant de me rendre à l'aéroport. Au loin, j'ai vu un groupe de gens qui effectuaient les lents mouvements propres au taï-chi. J'ai pensé : *Et si l'école cachée, l'école de la vie se trouvait à l'extérieur ?* Je n'ajoutais pas vraiment foi à cette idée, mais il n'y avait pas de mal à y regarder de plus près. J'ai choisi un bon poste d'observation, je me suis accroupi, et j'ai regardé.

Il n'était pas inhabituel de voir des adeptes du taï-chi dans les parcs au petit matin. J'aurais vite abandonné mon poste, mais une femme a attiré mon attention. Elle se mouvait avec une grâce et une précision peu communes chez une femme d'âge moyen. Ou chez n'importe qui. Elle avait une allure féline qui m'a fait penser à Socrate. Se pouvait-il qu'elle soit un maître se mêlant à la foule ? Nos yeux se sont croisés brièvement pendant qu'elle continuait à effectuer des mouvements fluides que j'ai reconnus comme appartenant au style yang du taï-chi. Mais elle les amplifiait et les redéfinissait. J'avais pratiqué le taï-chi suffisamment longtemps pour en assimiler les bases et savoir en reconnaître la maîtrise.

Alors que la dernière étoile était chassée par le lever du soleil, elle a repris les mêmes mouvements, mais cette fois du côté opposé – un reflet miroir. Impulsivement, je me suis approché et j'ai commencé à suivre son ballet. J'ai bientôt été immergé dans le flux yin yang, faisant passer mon poids d'une jambe à l'autre, pivotant le milieu du corps, et relâchant la tension. À ce moment, le passé et l'avenir se sont estompés…

Je terminais un élément appelé simple fouet lorsque j'ai senti un effleurement entre mes omoplates. Ensuite, la seule chose dont je me souviens est d'avoir été projeté vers l'avant et d'avoir roulé sur la pelouse clairsemée. Je me suis relevé d'un bond et j'ai tourné sur moi-même. Mon regard s'est d'abord posé sur mon sac à dos, toujours là où je l'avais laissé. J'ai ensuite regardé autour de moi pour repérer mon assaillant. Ramassant mon sac, je me suis mêlé au groupe en demandant à chacun : « Qui m'a poussé ? » La majorité des gens, plongés dans leur méditation, m'ont ignoré. Et puis, j'ai entendu un gloussement.

Me retournant, j'ai vu la femme que j'avais observée. Toute menue, les cheveux courts et noirs striés de blanc, elle imitait la posture d'un ado américain, une main sur l'une de ses hanches, projetée vers l'avant. « *Je* vous ai poussé », a-t-elle dit en anglais avec un accent britannique.

— Quoi… ? Comment… ? Vous m'avez poussé ? Euh, pourquoi ?

— Vous avez l'air d'un journaliste », a-t-elle dit d'un ton railleur, les deux mains sur les hanches maintenant, « mais vous avez omis de demander *où* et *quand*. En ce qui concerne le *pourquoi*, c'était uniquement pour amorcer une conversation.

— Comment savez-vous que je souhaite avoir une conversation avec vous ?

— Ce n'est pas le cas ?

— Eh bien, peut-être, ai-je répondu. *Bien sûr que c'est ce que je veux*, ai-je pensé. Mais comment avez-vous fait pour me faire voler dans les airs ? C'est à peine si j'ai senti un frôlement.

— Je crois qu'il y a une blague américaine… », a-t-elle dit. « Un homme demande à quelqu'un dans la rue comment se rendre au Carnegie Hall…

— Pratique, pratique, pratique, ai-je dit.

— Ah, vous la connaissez, a-t-elle dit, un peu déçue. Alors, vous connaissez la réponse à votre question. Je pratique le taï-chi avec tout mon cœur depuis de nombreuses années, tout comme vous avez pratiqué la gymnastique.

— Comment savez-vous ça ?

— Un œil exercé. De toute manière, c'est plutôt évident, ne croyez-vous pas ? Vous roulez sur vous-même mieux que vous ne vous tenez debout. Et vous semblez plus connecté aux nuages qu'enraciné dans le sol.

— C'est de bonne guerre. Reprenons depuis le début. » Je me suis présenté et je lui ai dit pourquoi j'étais là.

Elle a haussé les épaules comme si cela ne lui faisait ni chaud ni froid. « On m'appelle Hua Chi. Et comme vous êtes ici en tant qu'observateur » – elle a montré du doigt une jeune femme qui faisait également preuve d'une grande habileté –, « pourquoi ne pas prêter une attention toute particulière aux mouvements de mon élève Chiang Wei ?

— Votre élève ?

— Oui. Comme votre expert américain a dit un jour : "On peut observer beaucoup en regardant." »

Je me suis assis à côté de mon sac à dos et j'ai regardé Chiang Wei dont les mouvements relevaient du paradoxe : souples mais puissants, enracinés mais aériens, alors qu'elle sautait et tournoyait en effectuant des blocages circulaires et des coups de pied. J'ai tenté d'entendre le bruit de ses pieds qui touchaient le sol, mais ils n'en produisaient pas.

Lorsque le groupe a terminé l'exercice, tous se sont inclinés devant Hua Chi comme le veut la tradition, en enveloppant un poing avec la paume de l'autre main, et puis ils se sont dispersés. D'abord tenté de suivre Chiang Wei et ses amis, je suis plutôt allé me poster près de Hua Chi – à une distance respectueuse.

« Je vous en prie, accompagnez-moi à la maison, a-t-elle dit. Nous prendrons le thé et nous bavarderons. Je veux savoir ce que les Américains regardent à la télévision ces temps-ci. » Une requête inattendue. *Elle est pleine de surprises,* ai-je pensé. Je n'avais encore aucune idée à quel point c'était vrai.

Et voilà que, soudain, j'avais un endroit où aller, un endroit où me trouver. Un contact. Je pourrais toujours prendre un autre vol en après-midi.

La foule grouillante de piétons et de cyclistes qui allaient dans toutes les directions m'a fait penser à un plateau de cinéma. Je m'attendais presque à ce qu'un réalisateur crie : « Coupez ! », alors que je m'efforçais de suivre la minuscule Hua Chi dans cette cohue. Dans une variation de la pratique du taï-chi, nous avons zigzagué dans la foule, contournant des ordures, passant devant un vendeur de nouilles et ensuite à travers la horde de fonctionnaires qui entraient et sortaient d'un édifice gouvernemental.

À une certaine distance du parc, dans une petite rue, plusieurs travailleurs construisaient un mur avec de la glaise durcie faite d'un sédiment jaunâtre. Ils en avaient dans les cheveux et sur leur dos nu. C'est à peine si je parvenais à rester quelques pas derrière Hua Chi pendant que les boutiques ouvraient leurs portes dans un cliquetis de serrures. Encore une fois, la ville soulevait le couvercle de son coffre à bijoux.

Rejoignant enfin Hua Chi, je lui ai demandé : « Excusez-moi, Hua Chi, mais n'est-il pas inhabituel d'inviter un étranger pour le thé ?

— Je suppose que oui. Mais vous êtes le premier étranger que j'ai vu pratiquer le taï-chi dans un parc si tôt le matin. »

Arrivés à une intersection, nous nous sommes arrêtés. « Chez moi », a-t-elle dit en montrant un massif de verdure de l'autre côté de la rue étroite. Une multitude de fleurs blanches et pourpres couvraient un mur feuillu. Ce n'est que lorsque nous avons traversé la rue et nous sommes tenus directement devant l'entrée qu'est apparu un passage voûté si bas que j'ai dû me pencher pour suivre Hua Chi. J'ai marché à la manière d'un canard le long d'un tunnel odorant, tapissé de chrysanthèmes rouge vif. La voûte parfumée serpentait, offrant des virages comme dans un labyrinthe. Nous sommes finalement arrivés devant une petite maison de trois pièces.

Imitant Hua Chi, j'ai retiré mes chaussures. Je suis entré et je me suis assis sur le sol en face d'une table basse pendant qu'elle posait une bouilloire sur une plaque chauffante. J'ai attendu en silence, m'émerveillant devant le décor fait d'un chaos organisé : où que je pose les yeux, il y avait des artefacts internationaux, des journaux dans plusieurs langues, des bibelots aux couleurs vives incluant un Yogi Berra miniature en plastique, des cassettes, des affiches de cinéma roulées et des piles de tee-shirts sur lesquels étaient imprimés des slogans bizarres en anglais et en français. J'ai entendu l'eau bouillir. Peu après, elle a versé de l'eau fumante sur des herbes vertes qu'elle a prises dans une petite boule disco dont les deux moitiés ont grincé lorsqu'elle les a revissées.

« Je travaille dans l'industrie du voyage », a-t-elle dit en suivant mon regard. « Je collectionne un peu de tout. »

Après avoir bu quelques gorgées de son thé aromatique, Hua Chi a repris la parole : « Parlez-moi de vos émissions de télé préférées. »

— Vraiment? Eh bien, je… ne regarde pas beaucoup la télé chez moi. Mais il y a une émission que je ne rate jamais. Elle s'appelle *Kung Fu*… »

Son regard s'est éclairé, montrant l'enthousiasme d'un enfant de trois ans. « C'est vrai? C'est aussi mon émission préférée! En fait, j'ai un peu le béguin pour Kwai Chang Caine. »

— Mais il n'est même pas Chinois! Vous savez, Bruce Lee voulait jouer ce rôle…

— Lee était un grand artiste martial. Je l'admirais beaucoup et je pleure sa mort », a-t-elle dit. Après un bref moment de silence, Hua Chi a ajouté : « David Carradine est l'*homme par excellence*, ne croyez-vous pas?

— Oui – un chic type quand il ne se bat pas. Je n'arrive pas à croire que je parle de l'une de mes idoles avec un maître du taï-chi à Hong Kong! », ai-je dit, pensant tout haut.

Hua Chi a changé d'attitude si rapidement qu'elle m'est apparue comme une personne entièrement différente, maintenant calme et sérieuse, elle a dit : «À de rares occasions, je rencontre quelqu'un qui est peut-être prêt à apprendre, et qui a peut-être aussi des expériences à partager.

— Vous parlez de moi ? Pourquoi pensez-vous que j'ai peut-être quelque chose à partager ?

— Je le vois dans vos yeux, votre posture, a-t-elle répondu. Je vois votre droiture. Je dirais que vous avez étudié avec un grand maître.

— J'ai eu – j'ai – un mentor. Mais je suis davantage un gymnaste qu'un spécialiste des arts martiaux.

— Je l'ai remarqué », a-t-elle dit, incapable de réprimer un sourire. «Votre voie, votre tao, est celui d'un gymnaste. Comme il se doit. Après tout, la flamme aspire-t-elle à devenir flocon de neige ? La rose grimace-t-elle comme un raton laveur ?» Elle a levé la main, un doigt pointant vers le ciel, et a ajouté : «Le sage maîtrise sa propre voie à sa manière.

— Est-ce de Confucius ?»

Elle a souri. «Non. De maître Po – *Kung Fu.*» Hua Chi s'est levée promptement. Repoussant quelques bricoles, elle a saisi un tube renfermant une affiche qu'elle a déroulée pour révéler un gros plan du visage de David Carradine. Elle a caressé d'un doigt la joue de l'acteur.

J'ai pensé que Papa Joe avait fait une référence similaire quelques semaines auparavant. Hua Chi a posé l'affiche et s'est rassise devant moi, avec encore une fois l'air sérieux.

« Mon mentor, que j'appelle Socrate comme le sage grec, m'a dit un jour qu'alors que je pratiquais la gymnastique, il pratiquait tout. »

Hua Chi a approuvé d'un signe de tête. « Effectivement ! Chaque voie peut devenir un mode de vie. Le petit tao fusionne avec le grand tao, tout comme de nombreux ruisseaux se jettent dans la grande rivière.

— Encore *Kung Fu* ?

— Non, celle-ci est de Hua Chi.

— Il y a autre chose, ai-je dit. Je suis ici parce que je me suis lancé dans une quête personnelle. Mon mentor, Socrate, m'a demandé de trouver un journal dans lequel il a noté ses pensées. Je l'ai trouvé. Je l'ai avec moi. »

Faisant mine d'ignorer mes commentaires, Hua Chi est allée droit à l'essentiel : « N'est-il pas curieux que, lorsque nous nous sommes levés ce matin, ni vous ni moi ne nous doutions de cette rencontre ? Et nous voilà ensemble. Qui sait pourquoi vous êtes venu dans ce parc, ce matin en particulier, à cette heure en particulier ? Qui sait pourquoi je n'ai pas pu m'empêcher de vous pousser... dans la bonne direction ? »

Le souvenir des étranges circonstances entourant ma première rencontre avec Socrate tard un soir dans une vieille station-service m'est revenu à l'esprit. L'impulsion qui m'avait poussé à entrer dans son bureau allait non seulement changer le cours de mon existence, mais ferait en sorte que je ferais à tout jamais confiance à ma « certitude intérieure » – même si des élans intuitifs me faisaient parfois faire des détours. Je me suis demandé si ma rencontre avec Hua Chi pouvait faire partie de l'un d'eux. J'ai presque raté ce qu'elle a dit ensuite : « ... prêt à vous appliquer, je pourrais m'organiser pour que vous receviez une formation qui corresponde à vos champs d'intérêt. »

Considérant son offre, j'ai pensé : *Quelques semaines d'entraînement avec Hua Chi avant de m'envoler vers le Japon. Pourquoi pas ?*

« C'est très généreux, ai-je dit. Est-ce que nous nous entraînerions ici ou dans le parc ? »

Elle a ri. « Non, Dan. Pas ici, et pas avec moi. Il y a un autre maître qui saura mieux répondre à vos besoins. Vous devrez vous rendre à la ferme de mon frère Ch'an. Là-bas, les jeunes travailleurs agricoles – presque tous des orphelins – pratiquent tous le taï-chi. Je ne peux pas parler pour le maître, mais si vous êtes prêt à travailler la terre avec les autres élèves, il acceptera peut-être de vous instruire vous aussi. Pour des raisons de discrétion et de politique, l'endroit est caché dans une profonde forêt... »

Une école cachée ? ai-je pensé, incertain d'avoir bien compris. « Mon mentor m'a demandé de trouver une telle école de la vie... »

Hua Chi a rempli ma tasse. « Donc, vous cherchez *une* école, et voilà que vous faites ma connaissance. Quelle coïncidence intéressante. Si vous croyez aux coïncidences.

— Coïncidence ou pas », ai-je dit en posant soigneusement ma tasse sur la table, « je suis prêt à rendre visite à ce maître Ch'an n'importe quand. »

Hua Chi s'est levée et, comme si elle flottait dans les airs, a traversé la pièce en direction d'une autre table basse où elle a repoussé un jean à pattes d'éléphant et ouvert un tiroir. « On ne peut pas arriver à l'improviste à cet endroit. C'est un long voyage dans la forêt de Taishan. Elle se trouve dans le nord de la Chine…

« La Chine ? » Je n'étais pas sûr d'avoir bien entendu. « La Chine de Mao ? Mais je ne pourrai pas… Je n'ai pas…

— Je devrai vous donner des lettres de recommandation et organiser votre passage. » Elle a sorti un petit encrier du tiroir, un pinceau de calligraphie et du papier de riz.

« Comment vais-je faire pour franchir la frontière ?

— Il n'y a pas de contrôle frontalier là où vous passerez. Revenez dans deux jours, dès le lever du soleil. J'aurai fait les préparatifs nécessaires. Vous devrez voyager léger…

J'ai fait un geste en direction de mon sac à dos.

« Parfait », a-t-elle dit en s'assoyant pour écrire. Les caractères chinois naissaient de son pinceau comme si sa main patinait sur le parchemin.

« J'apprécie vraiment…

— Vous gagnerez votre gîte et votre couvert », a-t-elle murmuré. Sans lever les yeux, elle a envoyé valser un ballon Mickey Mouse qui flottait près de sa tête. « Revenez me voir dans deux jours. Même heure. »

15

Je me suis incliné pour lui dire au revoir, mais Hua Chi
était tellement absorbée par son écriture qu'elle s'en est
à peine aperçue. Mais avant de partir, j'ai dit : « Le
journal dont j'ai parlé… Un autre homme pourrait être à
sa recherche pour des raisons qui lui sont propres. Il pourrait
être dangereux. Il est très peu probable qu'il me suive, ou
qu'il me trouve ici. Mais par mesure de sécurité, j'ai pensé
qu'il valait mieux que je vous en parle. »

Hua Chi ne semblait pas m'écouter, mais elle a dit d'un
air absent, tout en continuant à écrire : « Comme c'est dra-
matique. Je me demande ce que Kwai Chang Caine ferait. »

Après un autre salut, j'ai quitté les lieux en empruntant
le tunnel fleuri, un passage entre deux mondes. Hua Chi
me plaisait ; j'aimais son talent et sa charmante excentricité.
Mais pouvais-je avoir confiance en elle ? Alors que je faisais
en sens inverse le trajet que nous avions emprunté, je me
suis demandé dans quoi je m'embarquais. Est-ce que j'étais

prêt à la laisser organiser mon entrée dans la République populaire de Chine où des fonctionnaires zélés de l'Armée populaire de libération pouvaient interroger tout voyageur étranger?

La réponse était oui. Une porte venait de s'ouvrir. J'en franchirais le seuil, j'entrerais dans un autre monde, et je verrais ce qu'il avait à offrir. En attendant, j'ai encore une fois tenté de rejoindre ma petite fille, tant au numéro qu'elle m'avait laissé au Texas qu'à la maison en Ohio. Pas de chance. Ni avec Ama.

———※———

Deux jours plus tard – après avoir lu et relu les notes de Soc dans ma chambre et au parc, laissant les mots me pénétrer – je me suis retrouvé assis à la table de Hua Chi, buvant du thé à petites gorgées pendant qu'elle me tendait quelques documents. « Gardez-les précieusement, a-t-elle dit. Croiser le fer avec des bureaucrates peut être difficile, mais quelques amis et parents en position d'autorité peuvent déplacer des montagnes.

— Pourquoi ai-je besoin de ces lettres alors que vous…?

— J'ai des obligations ici. Je vous rejoindrai plus tard ce mois-ci ou le suivant. Dès que je le pourrai.

— Mais j'avais supposé…

— Ne supposez rien, a-t-elle dit – surtout en Chine étant donné le climat politique actuel. » Je me suis dit que, à ses yeux, la politique était temporaire, mais que la culture populaire était éternelle.

J'ai déplié le papier de riz et j'ai trouvé une lettre écrite en caractères chinois, avec quelques directives à mon intention rédigées en anglais : « Montrez ces documents aux capitaines des navires, a-t-elle précisé. *Montrez* les lettres, mais gardez-les en votre possession. » Pour mettre l'accent sur ses directives, elle m'a arraché les documents des mains et les a pressés sur ma poitrine.

Tout s'est ensuite passé très vite. En route vers le port, alors que je me hâtais derrière Hua Chi dans les rues bondées, elle m'a donné quelques dernières recommandations. « Même depuis la visite de votre président Nixon, m'a-t-elle mis en garde, un étranger est jugé suspect et peut même être arrêté et accusé d'espionnage. N'attirez pas l'attention sur vous ! Restez calme et amical. Ne troublez pas l'ordre public. Dans la mesure du possible, ne vous mêlez pas aux autres. Vous êtes jeune et fort, mais le destin peut jouer des tours.

— Qu'est-ce que je devrai dire à maître Ch'an lorsque je le rencontrerai ? », ai-je demandé en faisant de grandes enjambées pour rester à la hauteur de Hua Chi alors que nous approchions des quais. « Comment savoir s'il m'acceptera comme élève ?

— Il ne parle que le mandarin et vous ne vous adresserez donc pas à lui directement. Il y aura un interprète – une femme. Mais si vous arrivez jusqu'à l'école, vous y serez le bienvenu. »

Si j'arrivais jusqu'à l'école ? ai-je pensé en me demandant si j'avais bien entendu. Mais le moment n'était pas propice à la réflexion ni à la recherche de réconfort. Le capitaine du chalutier a adressé un signe de tête courtois à Hua Chi et m'a fait signe de monter à bord. Je pouvais sentir la vibration du moteur.

Et puis, je me suis soudain rappelé que j'avais envisagé de téléphoner à Ama avant mon départ, mais cela m'était sorti de la tête dans la frénésie de mes préparatifs. J'ai rapidement saisi un stylo et j'ai inscrit le nom et le numéro de téléphone d'Ama sur un bout de papier. En m'étirant au-dessus du bastingage, je l'ai tendu à Hua Chi.

Alors que le navire s'éloignait du quai, j'ai crié en m'efforçant de couvrir le bruit du moteur : « S'il vous plaît, appelez cette femme ! Il faut qu'elle sache que j'ai trouvé le journal ! »

Hua Chi a souri et m'a fait un signe de la main comme si nous ne faisions que nous dire au revoir. Je l'ai entendu dire : « Bon voyage, Dan. Et n'oubliez pas… »

Le reste de sa phrase s'est perdu dans le vacarme du moteur qui tournait maintenant à plein régime. J'ai encore crié : « Ne pas oublier quoi ? » Mais mes paroles sont tombées dans l'océan.

Ce n'est que plus tard que j'ai réalisé que nous n'avions pas organisé mon voyage de retour. Elle avait seulement dit qu'elle me rejoindrait dès que possible.

Envahi par un mélange d'impatience et d'appréhension, je suis resté debout sur le pont et j'ai observé le littoral disparaître dans la brume. *Qu'est-ce que j'ai fait?* me suis-je demandé en jetant un coup d'œil à la carte que Hua Chi avait dessinée. Je m'étais embarqué pour un aller simple sur l'océan, et ensuite une rivière pour enfin entreprendre un long voyage à travers la Russie jusqu'en Chine afin de trouver la forêt de Taishan dans les contreforts du mont Tai, là où je pourrais, avec un peu de chance, trouver une école.

J'ai senti qu'on me tapait sur l'épaule. Le capitaine a tendu la main. J'ai pensé qu'il me demandait de l'argent, et puis j'ai compris qu'il voulait voir la lettre. Il me l'a arrachée des mains, l'a lue et m'a adressé un mince sourire accompagné d'un bref salut. Tenant toujours la lettre, il a dit quelque chose et m'a fait signe de le suivre dans une petite pièce de la taille d'un placard. J'y ai vu une couchette et un petit lavabo. C'était ma cabine. Il m'a indiqué une autre pièce où se trouvait un réchaud. J'ai supposé que c'est là que je prendrais mes repas avec l'équipage. Finalement, il m'a précédé le long de la passerelle jusqu'à une porte. L'odeur laissait deviner ce qui se trouvait derrière. Et puis, il m'a congédié d'un geste et s'est éloigné en emportant la lettre!

Lorsque je l'ai rattrapé sur le pont, il ne l'avait déjà plus en main. J'ai tenté de lui expliquer avec des gestes que je voulais récupérer ma lettre, mais en vain. Alors qu'il hélait quelques membres de l'équipage, il a glissé la main dans sa veste et en a sorti la feuille de papier de riz maintenant froissée qu'il me faudrait présenter au prochain capitaine.

Hua Chi m'avait dit que ma destination était la forêt de Taishan, dans le district d'Aihui situé dans la préfecture de Heine – une zone très boisée dans une région autrement peuplée. Lorsque j'ai montré la carte à l'un des matelots, il a fait un tracé de notre route vers le nord à travers la mer de Chine orientale, en passant entre la Chine continentale et Taïwan à l'est.

Pendant les quelques jours qui ont suivi, nous avons dépassé la Corée du Sud et avons mis le cap sur le nord en nous engageant dans la mer du Japon. Pendant le voyage, le navire s'est mis à l'ancre à quelques reprises. Les marins se sont adonnés à la pêche et le poisson était placé dans un conteneur rempli de glace. Et lorsque nous accostions dans un port, je me retirais dans ma cabine en attendant un signe de l'équipage (quand on ne m'oubliait pas), et je pouvais de nouveau circuler librement sur le pont.

Quelque part dans une crique isolée de la Corée du Sud, j'ai dû quitter le navire sans cérémonie. Environ 10 minutes plus tard, j'ai été accueilli par un homme aux cheveux gris qui m'a conduit auprès de l'autre capitaine dont Hua Chi m'avait parlé, un homme appelé Kim Yun. Je lui ai présenté la lettre. Il y a jeté un coup d'œil, a froncé les sourcils en me regardant avant de la déchirer et de monter à bord de son navire. Je me suis agenouillé pour ramasser ma lettre en lambeaux et je l'ai suivi en bredouillant : « Pourquoi ? Qu'est-ce qui ne va pas ? Hua Chi… »

En entendant ce nom, le capitaine s'est tourné vers moi. Il était évident que c'était tout ce qu'il avait compris de mon discours. L'homme aux cheveux gris est apparu à côté de moi. Dans un anglais sommaire, il a dit : « Montrez » en désignant les bouts de papier. Lisant ce qu'il a pu, il a dit : « Pas lettre. » Il s'est adressé à Kim Yun avec brusquerie. Ce dernier a répondu de façon succincte, mais ils sont apparemment arrivés à une entente.

L'homme aux cheveux gris s'est tourné vers moi. « Vous travaillez, il vous emmène », a-t-il dit en mimant quelqu'un qui lave le pont avec une serpillière.

Sur le point de protester, j'ai toutefois décidé de me taire, pensant : *Pourquoi pas ?* Je n'avais pratiquement rien fait qui ressemblait à du travail depuis que j'avais quitté Oberlin plusieurs mois auparavant. Cette idée m'a donné de l'énergie. J'ai rapidement acquiescé. Quelques instants plus tard, mon bon Samaritain aux cheveux gris est parti, et je me suis retrouvé à bord d'un navire qui s'éloignait une fois de plus de la côte.

Soit mon maniement de la serpillière laissait à désirer, soit le capitaine a changé d'avis, mais durant les trois jours que j'ai passés à bord de ce deuxième navire, plus personne ne m'a demandé de travailler. Cette fois, je partageais les quartiers de l'équipage qui, en général, m'ignorait, comme si j'étais un fantôme.

Cette expérience n'a eu qu'un seul point positif : isolé dans mon coin, perdant toute notion du temps et de l'espace, j'ai eu l'occasion de me plonger dans le journal de Soc et d'étudier ses pensées et ses commentaires fragmentaires. Même s'il avait écrit une phrase complète ou même un paragraphe entier à l'occasion, il avait surtout gribouillé des bribes d'idées dont je devrais tirer un sens avant de pouvoir les développer. Un thème général a graduellement commencé à prendre forme dans les pages de mon esprit. C'est un processus qui s'était amorcé lorsque j'avais fait la connaissance de Socrate. À cette époque, j'étais un athlète universitaire qui se plaisait davantage à effectuer de nouveaux mouvements dangereux qu'à rédiger un essai.

Je ne pouvais pas vraiment écrire maintenant ; l'océan était trop agité et manier la plume me donnait le mal de mer. Le moment viendrait lorsque je serais arrivé à l'école. Ce séjour en mer m'a obligé à méditer avant de me lancer dans l'écriture. Je suis donc resté pelotonné sur ma couchette, bercé par la houle. Et j'ai observé mes pensées et mes idées s'amalgamer comme des planètes se formeraient à partir de poussière d'étoiles. Et j'ai commencé à voir... Soc avait effectivement trouvé un moyen d'accéder à la « vie éternelle ». Pas dans le sens que d'aucuns pourraient imaginer ou espérer, mais c'était tout de même un moyen.

Un bruit de pas m'a réveillé. Ma main a trouvé le journal avant que j'ouvre les yeux. Un signe de tête d'un membre de l'équipage m'a fait comprendre que le moment de débarquer approchait. J'ai refait mon sac à dos et je me suis hâté de regagner le pont, juste au moment où nous passions devant le port de Vladivostok, en Russie.

Il m'aurait fallu un visa pour débarquer dans cette ville. Mais 45 minutes plus tard, j'ai pu quitter le navire dans une petite crique située plus au nord. Dans un avant-poste qui ressemblait davantage à une hutte où l'on vendait des fournitures de base, j'ai échangé quelques dollars américains contre des roubles afin d'acheter de la nourriture, une boussole, une autre gourde et une casquette ornée d'une étoile rouge. Afin de voyager plus léger, j'avais troqué mon sac de couchage contre une bâche dont je pourrais me couvrir en cas de besoin. Je m'étais également arrangé pour emporter de la monnaie chinoise même si Hua Chi m'avait dit que je n'aurais pas besoin d'argent pendant mon voyage ou une fois arrivé à l'école.

Elle m'avait conseillé d'éviter les régions peuplées – « Soyez frugal et continuez votre chemin ! » –, ce que j'avais bien l'intention de faire. Je pourrais manger à ma faim, et me reposer, lorsque j'arriverais à la ferme ou à l'école, ou peu importe ce que c'était. *Si* j'y arrivais. *Suis-je fou de lui faire confiance ?* Socrate m'avait déjà dit : « La confiance ne devrait pas être accordée rapidement – elle doit être gagnée avec le temps. » Je ne savais pratiquement rien de Hua Chi, sauf que nous avions le même penchant pour une certaine émission de télévision et le taï-chi. *Elle m'envoyait peut-être dans une secte où je serais gardé prisonnier*, ai-je pensé – *un* Cœur des ténèbres *chinois, ou une sorte de* Ferme des animaux *comme dans le roman de George Orwell.*

Toutefois, pendant le peu de temps que nous avions passé ensemble, Hua Chi m'avait paru sincère. Je n'arrivais pas à comprendre ce qui l'avait poussée à aider un professeur en visite, mais pouvait-on jamais être certain des motifs d'autrui ?

16

Muni d'une carte, d'une boussole et des directives de Hua Chi, je me suis enfoncé dans la forêt russe en direction de la rive est du lac Khanka. J'ai marché pendant deux jours sous une végétation dense, m'abritant pendant les averses occasionnelles. J'ai contourné les régions habitées, mais j'ai aperçu, en terrain rural, des paysans travaillant dans des rizières, de l'eau jusqu'aux genoux – des hommes et des femmes labourant avec une charrue tirée par un bœuf sous un ciel saphir strié de poussière jaune. Quelques moutons broutaient sur de petites parcelles de terre aride.

Heureusement, je n'ai vu ni militaires ni policiers. J'ai continué vers le nord jusqu'à ce que j'arrive à l'embouchure de la rivière Oussouri qui formait une partie de la frontière entre la Russie et la Chine. C'est là que le capitaine d'une embarcation à fond plat m'a trouvé, trois heures après l'heure convenue pour notre rendez-vous.

Par chance, le capitaine se moquait du fait que je n'aie pas de lettre de recommandation – seule comptait pour lui la somme exigée pour mon passage. Il m'a fait remonter la rivière jusqu'à l'endroit où elle se jette dans le fleuve appelé *Amour* par les Russes et *Dragon noir* par les Chinois, comme me l'avait dit Hua Chi. Nous avons navigué vers le nord jusqu'à ce que le capitaine me fasse pratiquement passer par-dessus bord pour s'éloigner aussitôt.

Maintenant, j'étais vraiment au milieu de nulle part. Le bateau est disparu, emportant avec lui le ronronnement rassurant de son moteur. Si je me blessais, je pourrais mourir ici. Et si je mourais, ma petite fille ne saurait jamais ce qui m'était arrivé. Socrate n'apprendrait jamais que j'avais découvert le journal. *Alors, il vaut mieux que tu ne meures pas!* me suis-je dit.

Mais sur une note plus positive, j'ai pensé que Pájaro ne pourrait jamais, jamais me retrouver. Dans un effort pour me remonter le moral, j'ai pris une pose de combat, imitant David Carradine sur l'affiche de Hua Chi. *Je suis un aventurier,* ai-je songé. *Lui, il ne fait qu'en incarner un à la télé.*

J'ai consulté ma boussole et j'ai commencé à marcher vers l'ouest sous le couvert des arbres, entreprenant la dernière partie de mon voyage par voie de terre en direction de la forêt promise de Taishan, dans les contreforts du mont Tai.

Trois jours plus tard, fatigué et le ventre creux, n'ayant pratiquement plus rien à manger, je suis passé près de Heihe. En dépit de tout bon sens, j'ai eu envie d'entrer dans la ville et de déambuler parmi une foule de gens plutôt qu'entre des arbres qui s'étiraient à l'infini. Mais le conseil de Hua Chi m'a retenu. Il fallait que j'évite les autorités. Oui, j'étais en quelque sorte un fugitif. Soutenu par cette pensée, j'ai poursuivi ma route en me rappelant un proverbe que j'avais déjà lu : « Pendant un long voyage, il n'y a pas de mal à abandonner tant que vos pieds continuent d'avancer. »

Ce soir-là, j'étais tellement épuisé que le sol m'a paru aussi moelleux qu'un matelas de plumes et j'ai dormi comme une souche. Peu avant l'aube, j'ai émergé d'un rêve étrange. Dans un pavillon éclairé par le soleil se tenait une femme dont la tunique blanche s'est transformée en un rayon de soleil qui s'est posé sur mes yeux clos. Sur le moment, je me suis demandé où j'étais. Et puis, je me suis ressaisi. Je me suis levé, courbaturé et affamé, et j'ai avalé la moitié de la nourriture qu'il me restait. Mon estomac en a réclamé davantage en émettant des gargouillis.

Après des jours de marche avec si peu à manger, la forêt m'apparaissait presque irréelle. J'ouvrais mon sac à dos plusieurs fois par jour, car la présence du journal de Soc me réconfortait. C'était une ancre dans la réalité, au-delà de ma destination immédiate. J'ai repoussé mon propre journal au fond du sac, conscient qu'il devait lui aussi être affamé – affamé des mots qu'il me fallait écrire.

Selon la carte, j'aurais déjà dû atteindre ma destination. Mais la distance sur une carte et la distance dans une forêt peuvent être trompeuses. Cherchant une élévation, j'ai pénétré dans une clairière et vu un homme qui urinait sur un tronc d'arbre. Avant même que je puisse bouger, il m'a vu et m'a souri. Il m'a ensuite posé une question en mandarin.

Je n'ai pu répondre qu'avec un haussement d'épaules bon enfant.

Il m'a regardé de haut en bas, son regard balayant mon pantalon sale et mon tee-shirt trempé de sueur, mon sac à dos et ma casquette de l'Armée rouge. Pointant son nez du doigt, il a dit quelque chose qui sonnait comme : « Wu Shih. » Inclinant la tête, il m'a ensuite pointé du doigt.

« Dan Millman », ai-je dit en touchant mon nez.

Sans même essayer de prononcer mon nom, il a hoché la tête et puis m'a fait signe de le suivre. Nous sommes bientôt arrivés devant une hutte. Une pompe à eau primitive et une citerne se trouvaient à l'extérieur. En faisant mine de s'asperger le visage, il m'a indiqué que je pouvais puiser de l'eau. J'ai accepté son invitation, me demandant à quel point je puais – je ne m'étais pas lavé depuis plusieurs jours. L'eau était claire et coulait vivement de la pompe. J'ai sorti ma gourde de mon sac et Wu Shih l'a remplie lui-même.

Ensuite, il a tiré sur sa chemise et a fait un signe vers moi. J'ai retiré mon tee-shirt et j'ai aspergé d'eau froide mes aisselles, mon dos et ma poitrine. Je me suis rhabillé et il m'a invité dans la hutte. Une femme s'y trouvait, probablement son épouse. Elle s'est inclinée et s'est ensuite hâtée de verser du gruau de riz dans un petit bol en céramique. Elle a ajouté quelques noix qui ressemblaient à des amandes et à des marrons. S'inclinant en souriant, elle m'a tendu le bol. Nous avons partagé un silence complice pendant que je mangeais. Mon estomac a encore une fois émis des gargouillis. Cela nous a fait rire.

Je me sentais tout de même mal à l'aise, comme quiconque doit limiter la conversation à des saluts, des sourires, des gestes et des grognements. Lorsque mon bol a été vide, Mme Wu Shih m'a offert une tasse de thé et une tranche de pain cuit à la vapeur. « *Ishi !* », a-t-elle dit en levant une tasse en émail rouge vif. J'ai voulu leur offrir quelque chose en retour et j'ai donc sorti de mon sac ce qu'il me restait de ma réserve de raisins secs et de noix mélangées. S'inclinant, Wu Shih en a gracieusement accepté quelques-uns, qu'il a mis dans son gruau. Son épouse a décliné mon offre d'un geste de la main.

Avant de partir, j'ai demandé : « *Zai... euh... sen lin na li ?* » en faisant un geste en direction des arbres pour signifier une forêt. Wu Shih s'est contenté de me fixer et a secoué la tête, incapable de comprendre mon charabia ni la signification de mes gestes. « La forêt de Taishan ? », ai-je dit en anglais, trop fort et avec des gestes exagérés. Réalisant que le mot *forêt* ne leur disait rien, j'ai répété « Taishan » en faisant de mon mieux pour lui donner une consonance chinoise.

Leur regard perplexe a donné lieu à une explosion de rires. Wu Shih s'est mis à gesticuler en faisant tourbillonner ses mains tout autour de lui. Ah ! Ils ne pouvaient pas me conduire à la montagne de Taishan parce que nous y étions. J'ai voulu demander à Wu Shih s'il avait entendu parler d'une ferme ou d'une école, mais je n'avais aucun moyen de me faire comprendre.

Ému par l'hospitalité qu'ils avaient manifestée envers un étranger venu d'un autre pays, je n'ai pu dire que les

quelques mots de mandarin que je connaissais – «*Xie!*
Merci!» – et m'incliner devant eux avant de m'en aller. Ils
m'ont rendu mon salut. Leur tournant le dos, j'ai pénétré
dans la forêt.

Après une heure de marche et de sudation, j'ai buté
sur un mur de feuillage impénétrable qui ressemblait à une
version géante de la haie qui se trouvait dans le jardin de
Hua Chi – sauf que celui-ci ne laissait voir aucun passage.
M'imaginant à Hong Kong, je me suis placé devant ce qui
aurait pu être l'entrée de sa maison, j'ai fermé les yeux et
j'ai fait un pas en avant.

Entrant dans le fourré, je n'ai pas trouvé de petite
maison derrière, mais plutôt un paysage tout à fait différent:
des cèdres et des pins poussaient les uns contre les autres,
serrés comme des brins d'herbe. Les extrémités de plantes
grimpantes torsadées pendaient comme des serpents le long
des troncs massifs. Des branches semblaient surgir de nulle
part et me bloquer le passage, comme si elles protestaient
contre mon intrusion. Un sentier est apparu pour aussitôt
s'évanouir, comme une illusion fugitive, à mesure que je
m'enfonçais dans le labyrinthe.

Je me suis rappelé avoir demandé à Hua Chi s'il existait
une carte de la forêt de Taishan. Elle avait dit: «Il est impossible de cartographier cette forêt, car elle change constamment. Et les boussoles ne fonctionnent pas là-bas.
Contentez-vous de nourrir une intention claire.»

Une intention claire, ai-je pensé en tentant d'imaginer
une école, une ferme ou un panneau géant où seraient
inscrits les mots «Vous êtes ici». Alors que je me frayais

péniblement un passage à travers les branches et les plantes grimpantes, les mains collantes de sève, une volée d'oiseaux a surgi des broussailles. L'un d'eux m'a effleuré la tête, me faisant sursauter. Quelques instants plus tard, j'ai failli traverser la toile gluante d'une araignée grosse comme ma main. Et encore quelques minutes plus tard, j'ai écarté un vrai serpent qui ressemblait à une plante grimpante. Il s'est éloigné en ondulant.

Dans la lumière tamisée de la forêt, j'ai également aperçu un perroquet écarlate et de nombreux cacatoès jaune citron qui sifflaient et pépiaient en voltigeant avant de disparaître dans la cime des grands arbres. Des rayons de soleil solitaires pénétraient la voûte feuillue. Le soleil descendait rapidement à l'horizon, les premières journées d'automne étant de plus en plus courtes.

Lorsque j'ai senti quelque chose bouger à mes pieds dans un buisson, la peur a monté le long de ma colonne vertébrale. J'ai accéléré le pas tout en gravissant une pente douce. C'est alors que j'ai été pris de confusion, comme si j'errais dans un labyrinthe de miroirs. J'ai commencé à me demander si je ne tournais pas en rond. Une autre heure a passé, ou ce qui m'a semblé être une heure. Impossible de le savoir, car la pile de ma montre était à plat depuis longtemps.

Je devrais revenir sur mes pas, ai-je pensé, de plus en plus désorienté et le cœur battant à tout rompre. *Mais dans quelle direction? Où était la sortie?* Je me suis mis à courir et j'ai traversé un fourré. Je suis presque tombé dans le vide, m'immobilisant juste à temps au bord d'un profond précipice.

Pendant un moment, étourdi, j'ai pensé que j'étais de retour sur le plateau rocheux du Nevada – que je ne l'avais jamais quitté.

J'ai cligné des yeux et j'ai contemplé ce qui m'entourait – devant moi s'ouvrait une gorge profonde, comme une balafre sur le visage de la forêt chinoise. J'ai donné un coup de pied sur un caillou. Il est tombé dans ce qui m'apparaissait comme un ruisseau à fort débit à une douzaine de mètres en contrebas. Si j'avais pu faire demi-tour, je l'aurais fait. Mais il n'y avait nulle part où aller ailleurs qu'en avant, en passant par-dessus cette gorge étroite – une distance de 3,5 mètres me séparait du côté opposé. Je pourrais la franchir d'un bond, mais j'avais très peu d'espace derrière moi pour m'élancer. J'ai levé les yeux et j'ai vu qu'une grosse branche s'étirait au-dessus du gouffre. Si j'arrivais à m'y agripper, je pourrais peut-être, avec un élan, me propulser de l'autre côté. C'était faisable, surtout pour un ancien gymnaste qui s'était beaucoup exercé à la barre fixe.

Retirant le sac de mon dos, je l'ai saisi par les courroies et projeté de l'autre côté où il a atterri en lieu sûr. Maintenant, je n'avais plus le choix. J'ai fermé les yeux et je me suis imaginé en train de sauter pour attraper la branche, comme je l'avais fait si souvent avant de tenter un nouveau mouvement ou avant une compétition. Après avoir fléchi les genoux, je me suis élancé.

L'une de mes chaussures a dû accrocher une racine exposée, car je n'ai fait qu'effleurer la branche du bout des doigts. Et je suis tombé.

En tant que gymnaste et plongeur, il m'était souvent arrivé de me jeter à l'eau en contrôlant ma chute – par exemple du haut d'une jetée ou d'une falaise. Donc, le sifflement du vent et la désorientation momentanée m'étaient si familiers que j'ai eu le temps de crier «*Ohhhhh meeeeeeerde!*», rentrant instinctivement la tête de manière à toucher la surface sur le dos, battant des pieds et des bras afin d'atténuer la force de l'impact en eau peu profonde. Ce serait douloureux, mais j'amortissais ainsi ma chute au lieu de me rompre le cou.

J'ai ressenti une douleur cuisante lorsque mon corps a percuté la surface de l'eau, et puis j'ai touché le fond vaseux à un mètre de profondeur. Me débattant et crachotant, j'ai réussi à remonter et à me hisser sur la berge. Sous l'effet du choc et dans une poussée d'adrénaline, j'ai commencé à escalader la paroi de la falaise, m'y agrippant une main à la fois, les pieds tâtonnant pour trouver un point d'appui. Chaque fois que je glissais et perdais un peu de terrain, je redoublais d'ardeur, comme si une quelconque partie reptilienne de moi-même avait pris les commandes. Les doigts en sang, les deux genoux écorchés, mon jean et mon tee-shirt déchirés et couverts de boue, j'ai atteint le sommet et m'y suis affalé, haletant.

Alors que mon pouls retrouvait son rythme normal, le pouvoir de la pensée complexe a repris ses droits, et la force brute qui avait parcouru mon corps s'est estompée. Épuisé, je me suis forcé à m'asseoir. Ce n'est qu'alors que j'ai réalisé que, dans ma hâte, j'avais escaladé la mauvaise paroi – j'étais revenu à l'endroit d'où j'étais tombé quelques minutes auparavant.

Le soleil se coucherait bientôt et je ne pourrais plus voir la branche – ni mon sac à dos de l'autre côté de la gorge. J'avais déjà donné tout ce que j'avais et j'avais échoué. Mon corps était douloureux et j'étais fatigué et trempé. J'étais incapable de faire une autre tentative. La moindre hésitation, une pierre qui se détache, une légère erreur, et je me retrouverais le bec à l'eau, c'était le cas de le dire. Je risquais la mort si j'essayais de traverser encore une fois ce soir. J'ai donc décidé de trouver un endroit où dormir et de faire une nouvelle tentative le lendemain matin, lorsque je serais reposé. Ce serait une nuit longue, et froide. Pas de bâche. Pas de nourriture. Pas de gourde.

Refusant de m'apitoyer sur mon sort, bien résolu à retrouver un endroit dégagé que j'avais déjà repéré, j'ai cru voir une forme sombre se déplacer lentement à travers les ronces. La chute avait-elle affecté ma vision ? J'ai fait un pas en arrière et puis je me suis immobilisé en reconnaissant la silhouette : un ours. L'ours le plus monstrueusement gros qu'il m'avait été donné de voir. Il avait l'air féroce, ou c'est l'impression que j'ai eue, car j'étais assez près de lui pour sentir son haleine. Se dressant de manière imposante sur ses pattes postérieures, il a poussé un grognement à figer le sang.

J'ai tourné les talons et j'ai pris mes jambes à mon cou, plongeant dans les fourrés comme s'ils étaient aussi minces que du brouillard. J'ai couru à toute vitesse, je me suis élancé dans les airs et la branche a semblé se placer d'elle-même dans la paume de mes mains tendues. Mon corps a basculé vers l'avant si rapidement que j'ai pratiquement oublié de lâcher prise. Heureusement, aucun juge n'était là pour noter ma performance. J'ai atterri sur les fesses et j'ai rebondi sur la terre ferme. Mon sac à dos reposait miraculeusement entre mes jambes écartées. Je n'ai pas vu l'ours lorsque j'ai jeté un coup d'œil de l'autre côté de la gorge, mais cela ne m'a pas empêché de m'agenouiller, de lever le poing et de le narguer avant de m'écrouler sur le sol.

Alors que j'étais étendu, complètement crevé, je me suis rappelé une histoire soufie. Un souverain avait convoqué à la cour un sage renommé et lui avait dit : « Prouve-moi que tu n'es pas un charlatan ou je te fais exécuter sur-le-champ ! »

Le sage est aussitôt entré en transe. « Je vois, ô grand roi, des rivières d'argent et d'or là-haut dans les cieux, chevauchées par des dragons crachant le feu. Je vois des serpents géants qui, en ce moment même, rampent dans les entrailles de la Terre ! »

Le roi, impressionné, lui a demandé : « Comment se fait-il que tu puisses voir là-haut dans les cieux et sous la surface de la Terre ?

— Il suffit d'avoir peur », a répondu le sage.

Amen, ai-je pensé, tremblant et agité comme un cocktail. J'ai à peine eu la force de ramper sur une distance d'un mètre, mettant ainsi un peu de distance entre le bord de la falaise et moi, avant de me coucher en boule autour de mon sac à dos, l'enlaçant tendrement, et de sombrer dans un sommeil troublé par des rêves de poursuites et de fuites.

Le lendemain matin, transi et affamé, j'ai précautionneusement descendu le long d'une pente raide et puis j'ai entrepris d'en gravir une autre moins escarpée lorsque, arrivé à mi-chemin, j'ai vu ce qui ressemblait à un sentier. *Encore un chemin qui ne mène nulle part*, ai-je pensé, affaibli par la faim et la fatigue. Je me suis mis en marche, un pas à la fois, chancelant, le corps ravagé, l'esprit ébranlé.

Quelques heures plus tard, alors que le soleil descendait sur les montagnes, le sentier a brusquement pris fin.

17

Débouchant dans une clairière, j'ai découvert un champ de maïs aux tiges ondoyantes et une grange au toit rouge, ce qui m'a fait penser à l'Ohio. À droite, à une centaine de mètres, se trouvait une maison de deux étages qui avait l'air solide. Derrière, je pouvais apercevoir ce qui ressemblait à un pavillon peint en blanc et une série de petites habitations – une authentique architecture chinoise, avec des toits recourbés qui ont attiré mon regard vers le ciel orangé. Et là, dans l'ombre de l'avancée de l'un de ces toits, la silhouette d'un homme est apparue. J'étais trop loin pour le distinguer clairement, mais il m'observait. Je pouvais le sentir.

J'ai entendu des chiens aboyer et j'ai en ai vu deux courir vers moi – ils ne semblaient pas menaçants, seulement vigilants. Un gros cochon les suivait. Le trio s'est approché avec précaution. L'un des chiens m'a laissé le gratter doucement derrière les oreilles. L'autre a glissé son museau dans la paume de ma main. Le cochon m'a également reniflé et il a grogné avant que le comité d'accueil revienne sur ses pas au bas de la pente.

Un ruisseau à fort débit coulait entre la grande maison et le petit bâtiment qui se trouvait derrière elle. J'ai vu une femme qui s'approchait. Les derniers rayons du soleil couchant coloraient sa tunique de soie blanche de touches de rose et d'or. Conscient de ma tenue débraillée, j'ai fait une vaine tentative pour rajuster mes vêtements et j'ai passé une main sale dans mes cheveux. La femme s'est immobilisée à un mètre devant moi. Elle avait un visage ovale et une longue cicatrice zébrait sa joue – résultat d'une grave brûlure, ai-je supposé. Ses yeux magnifiques étaient encadrés par une chevelure de jais nouée en une seule tresse. Elle s'est inclinée lentement comme si j'étais un dignitaire en visite. Elle a parlé, s'exprimant dans un anglais hachuré à l'accent britannique. Sa voix était étonnamment plus grave que celle de Hua Chi : « Je m'appelle Mei Bao. Comment puis-je vous aider ? »

Je me suis incliné à mon tour, un peu tardivement, et puis j'ai ouvert mon sac pour y prendre la lettre que je devais présenter à maître Ch'an. Ne la trouvant pas, je me suis tourné vers la femme pour constater qu'elle m'observait, perplexe. Après un moment de silence, je lui ai répondu d'une traite, un peu comme la petite Bonita, âgée de sept ans, l'avait fait avec moi : « Oh! Euh... je m'appelle Dan on m'a envoyé ici, eh bien, pas vraiment je suis venu de mon propre chef, mais Hua Chi a suggéré que je rencontre... »

— Hua Chi ? », a-t-elle dit, regardant maintenant par-dessus mon épaule, s'attendant peut-être à ce que Hua Chi apparaisse derrière moi. Après une pause, elle a ajouté : « Vous n'êtes certainement pas venu ici tout seul ? »

J'ai hoché la tête, encore préoccupé et fouillant mon sac. « J'ai une lettre de... »

Elle a fait la moue. « J'ai oublié les bonnes manières ; vous devez être fatigué. Permettez-moi de vous montrer où vous pourrez vous reposer cette nuit. Nous parlerons demain matin devant une tasse de thé. D'ici là, vous aurez trouvé votre lettre. » Mei Bao parlait d'un ton apaisant, comme si j'étais un petit enfant qu'un cauchemar avait tiré du sommeil.

Elle m'a conduit jusqu'à une petite pièce à l'intérieur de la grange, juste à gauche de l'entrée. Là, l'odeur de crottin à fait place à celle de la paille fraîche. Près d'une couchette surélevée se trouvaient une table de fortune et une boîte où ranger mes effets personnels.

« Toutes mes excuses pour cette installation rudimentaire. Il y a un dortoir pour les élèves, mais il vaut peut-être mieux que vous logiez ici.

— Bien sûr, ai-je dit. Compte tenu des lieux où j'ai dormi récemment, cette pièce fera très bien l'affaire. »

Après son départ, j'ai défait mon sac et roulé en boule mes vêtements sales avant de les mettre de côté. J'ai ensuite posé le samouraï et la poupée kachina sur la petite table, à côté du journal de Soc et de mon carnet.

J'ai trouvé la lettre que Hua Chi avait écrite à l'intention de maître Ch'an – elle avait glissé derrière la doublure, comme tout le reste semblait-il. La plaçant sous le samouraï, je me suis étendu sur la paille et j'ai respiré profondément, attendant le sommeil. Mais mon esprit restait agité : *Pourquoi ai-je risqué ma vie pour venir ici ? Pourquoi mon arrivée sans chaperon a-t-elle étonné Mei Bao ? Est-ce que maître Ch'an m'accepterait comme élève ?*

Réveillé en sursaut par le chant du coq, j'ai enfilé mon unique pantalon propre et la chemise avec col que j'avais réservés pour cette occasion, et je suis sorti dans l'air frais de ce début d'octobre.

Dans la douce lumière de l'aube, j'ai pu admirer les champs parfaitement ordonnés. Un chat solitaire est passé en courant pendant que les chiens me rejoignaient en jappant, en compagnie, bien entendu, de leur copain le cochon. J'avais vu plusieurs moutons brouter la veille et j'ai longé un enclos où se trouvaient d'autres cochons. C'était effectivement une ferme.

J'ai vu des jeunes gens, en majorité des adolescents, la tête enturbannée, se diriger vers les champs ; d'autres marchaient en direction de ce qui était sans doute une cuisine avec un réfectoire attenant et qui jouxtait un pavillon. Un voile de tulle était tendu de chaque côté – pour tenir les insectes en échec, ai-je supposé. Jetant un coup d'œil dans le pavillon spacieux, j'ai vu que la majeure partie du plancher de bois était recouverte de tatamis faits de paille de riz. Il avait sans doute fallu beaucoup de travail pour construire tout ça au fil des ans.

J'ai ensuite laissé mon regard dériver vers le ruisseau qui coulait entre la grande maison et le pavillon. Un pont en arc les reliait. De l'autre côté de la maison, une roue à aubes poussait vers le haut des contenants de bambou remplis d'eau jusqu'à une fenêtre de l'étage où ils se déversaient dans ce qui devait être une sorte de système de plomberie qui, par gravité, alimentait la maison en eau courante. Tout était silencieux et tranquille, à la fois distinct et en harmonie avec la forêt environnante.

J'ai sursauté lorsque Mei Bao m'a touché l'épaule. « Veuillez me suivre, monsieur Millman.

— Je vous en prie, appelez-moi Dan. »

Elle a hoché la tête. « J'espère que vous avez bien dormi. Maître Ch'an aimerait vous souhaiter la bienvenue, vous qui êtes un ami de Hua Chi.

— Nous ne sommes pas vraiment de vieux amis. En fait, je n'ai fait sa connaissance que récemment... »

En entrant dans la maison, j'ai retiré mes bottes, soudain anxieux.

Mei Bao a dit : « Détendez-vous et soyez naturel. » Ce qui m'a bien sûr rendu plus nerveux et mal à l'aise, sachant que m'attendait non pas une conversation anodine, mais une sorte d'entrevue.

Après avoir enfilé des pantoufles réservées aux invités, j'ai suivi Mei Bao sur un plancher de cèdre reluisant de propreté jusqu'à un petit salon où m'attendait maître Ch'an. Le maître de la forêt de Taishan. Il y avait un arrangement floral sur la table, ainsi que des bols d'eau et des essuie-mains de coton.

Vêtu d'une tunique gris clair, maître Ch'an était imposant malgré sa petite taille, à peine plus de 1,5 mètre. Ses cheveux noirs grisonnaient sur les tempes, et des sourcils broussailleux ombrageaient un regard alerte. Son visage, totalement détendu, ne me donnait aucun indice de son âge.

Je me suis incliné et j'ai tendu la lettre que Hua Chi avait écrite. Mei Bao l'a prise et l'a remise à maître Ch'an. Il l'a lue lentement. J'ai scruté son visage pour y déceler un signe quelconque – un sourire, un mouvement. N'importe quoi. Il a dit quelques mots à Mei Bao et lui a donné la lettre pour qu'elle la lise. Et enfin, elle a parlé : « Merci de nous avoir apporté ces nouvelles de Hua Chi. »

J'ai attendu qu'elle en dise davantage, mais maître Ch'an et Mei Bao se sont contentés de me fixer comme s'ils m'évaluaient, échangeant quelques mots en chinois. *C'était donc ça! Peut-être que Hua Chi, à quelques mois d'intervalle, trouvait un étranger crédule pour livrer son courrier.*

Mei Bao a repris la parole : « Hua Chi indique que vous vous intéressez à la pratique du taï-chi et que vous accepteriez peut-être d'enseigner la gymnastique à nos élèves. Nous en avons une vingtaine actuellement. »

Ah, telle était donc son intention, ai-je pensé. Hua Chi m'avait envoyé ici non pas uniquement comme messager, mais aussi comme un professeur éventuel. J'étais heureux qu'ils soient incapables de lire mes pensées ; du moins, j'étais presque sûr qu'ils ne le pouvaient pas. Avec ou sans le journal, je n'étais donc pas arrivé ici les mains vides pour y «demander l'aumône de la compréhension», Soc avait une façon bien à lui d'utiliser les mots lorsqu'il n'était pas terrassé par la fièvre. «Je serai heureux de vous aider», ai-je dit à haute voix.

Mei Bao a traduit mes paroles et puis elle s'est excusée de nous quitter momentanément afin d'aller préparer du thé.

Le maître et moi sommes restés assis en silence en attendant son retour. Lui jetant un regard de côté, j'ai remarqué comment ses pommettes saillantes ajoutaient une certaine rudesse à son apparence maigre et nerveuse. Une force et une vitalité se dégageaient de sa personne.

Mei Bao est revenue avec des bols de riz fumant et parfumé, agrémenté de légumes sautés. J'ai attendu que maître Ch'an et Mei Bao commencent à manger. Apparemment, ils attendaient que j'en prenne l'initiative. Finalement, Mei Bao a dit: «Je vous en prie, mangez. À compter de demain, vous prendrez votre petit-déjeuner dans le réfectoire avec les élèves, après le travail dans les champs.»

Pendant que nous mangions, elle m'a décrit la routine quotidienne: «Pendant votre séjour ici, vous vous lèverez au chant du coq...

— Cela ne devrait pas poser de problèmes», ai-je dit, me rappelant mon réveil un peu plus tôt.

Elle a ri et puis elle a tenté d'expliquer ma plaisanterie à maître Ch'an, apparemment sans succès – si je pouvais me fier à son expression. Toujours souriante, elle a poursuivi:

«Vous travaillerez dans les champs ou à la cuisine avant que le repas principal ne soit servi dans le réfectoire. Vous entendrez une cloche. Ensuite, vous aurez deux heures de repos et de temps libre avant l'entraînement de l'après-midi.»

Maître Ch'an lui a dit quelque chose. Elle a hoché la tête et a ajouté : «Vous aurez l'occasion de pratiquer le taïchi pendant deux heures et, après une courte pause, d'enseigner la gymnastique pendant encore deux heures. En temps normal, tout l'après-midi est consacré aux arts martiaux, mais pendant que vous serez ici, nous pensons que nos élèves pourraient profiter de cette occasion pour développer de nouvelles habiletés en ce qui a trait à l'agilité et l'équilibre.»

J'ai fait signe de la tête, réfléchissant à cette nouvelle responsabilité. Les gens croient souvent que n'importe quel athlète, artiste ou musicien talentueux peut enseigner. Mais j'avais appris que l'enseignement est un art en soi, et qu'il nécessite lui-même un entraînement. Au début de mon adolescence, j'avais aidé mes amis à apprendre ou à améliorer divers sauts périlleux sur le trampoline. Plus tard, j'avais conseillé mes camarades à l'université et j'avais donné quelques cours de gymnastique dans le cadre de camps d'été. J'avais amélioré mes aptitudes à communiquer sur le plan de mes activités d'entraîneur et de professeur de gymnastique à Stanford, et plus récemment à Oberlin. Mais je n'avais encore jamais dû (ou voulu) relever le défi d'enseigner à de jeunes femmes et hommes d'une culture complètement différente, d'autant plus qu'ils ne parlaient pas ma langue et que je ne parlais pas la leur.

À la fin du repas – mon estomac, comme d'habitude, en a réclamé davantage en émettant des gargouillis –, nous avons bu un thé amer et énergisant. Lorsque Mei Bao s'est levée, j'ai fait de même en supposant que mon entretien avec Ch'an était terminé.

« Il y a autre chose, a dit Mei Bao. Juste un petit test. » Elle a ouvert une boîte en argent et y a pris une épingle droite. Elle l'a ensuite piquée sur le bois de la table de manière à ce qu'elle y tienne à la verticale. « Maître Ch'an demande que vous fassiez pénétrer cette épingle dans la table. »

Elle s'est rassise et a attendu.

J'ai senti ma gorge se serrer.

18

La tâche m'a fait penser à l'une des énigmes de Papa Joe. Je me suis rappelé comment avait réagi Alexandre le Grand lorsqu'il avait été confronté au nœud gordien. Il devait le défaire pour poursuivre sa route. Homme d'action, il avait pris son épée et l'avait tranché.

Donc, sans hésitation, j'ai abattu la paume de ma main directement sur l'extrémité supérieure de l'épingle avec toute la force et la concentration que j'ai pu ménager. Ma main a fait un bruit sourd en touchant la surface de la table. À ma grande surprise, je n'ai ressenti de la douleur qu'au moment où ma paume est entrée en contact avec la table. J'ai levé la main pour voir ce qui était arrivé à l'épingle. Elle reposait sur la table, pliée en deux.

Maître Ch'an a hoché la tête, toujours aussi inexpressif.

Voyant mon air déconfit parce que je n'avais pas réussi à faire pénétrer l'épingle dans la table, Mei Bao m'a rassuré :

« Votre réaction était la bonne. Votre but était authentique et votre intention était claire. Si vous vous étiez retenu, l'épingle aurait pu vous transpercer la main, mais comme d'autres obstacles qui surgissent sur votre route, elle vous a donné la force de l'intention. Vous vous êtes concentré sur le but, et non sur l'obstacle. C'est ainsi que nous affrontons la vie. »

Ensuite, elle s'est levée et moi aussi. Je me suis encore une fois incliné devant maître Ch'an. Ma dernière vision, en sortant de la maison, a été celle du dos de la tunique de Mei Bao au moment où elle franchissait l'embrasure d'une porte et disparaissait à travers un rideau de perles.

Le lendemain matin, Mei Bao m'a fait visiter la ferme avant que j'entreprenne ma journée de travail. Alors que nous longions l'orée de la forêt, elle m'a déconseillé d'y retourner.

« Il est trop facile de s'y perdre, a-t-elle dit.

— Est-ce que des élèves se perdent parfois?

— De temps en temps », a-t-elle répondu d'un ton sérieux. « Mais nous les retrouvons presque toujours. »

Elle m'a conduit non loin des champs et m'a montré où me procurer des gants de travail.

« Contentez-vous de faire comme les autres, soit en plantant des pommes de terre, soit en pratiquant le taï-chi », a-t-elle dit. « Je vous en prie, tirez une grande fierté de tout ce que vous faites. Tout est important. Nous nous efforçons de demeurer autosuffisants et autonomes. Comprenez-vous? »

J'ai hoché la tête, ayant bien saisi la portée de ses mots, et même plus. Sur cette ferme, je découvrais une Chine différente de celle à laquelle je m'étais attendu, et une révolution plus profonde que celle de Mao.

Une fois Mei Bao partie, j'ai enfilé les gants et j'ai pris la direction des champs, prêt à faire miennes les routines quotidiennes de la ferme et de l'école. Du moins pendant le mois à venir.

Après avoir passé une heure le dos courbé, à biner et à planter, j'ai réalisé à quel point l'entretien d'une ferme nécessite un travail abrutissant. Comme je faisais une pause pour m'étirer, j'ai remarqué un homme musclé qui avait à peu près mon âge. Il portait une longue blouse de coton à manches longues comme tous les autres, mais il était plus solidement bâti et son torse était puissant – il avait davantage l'air d'un lutteur que d'un artiste martial. Tous les autres travailleurs plus jeunes avaient une serviette enroulée autour de la tête et portaient des bottes de caoutchouc. Je devais avoir l'air plutôt comique avec mes bottes de randonnée et ma casquette rouge, mais les autres semblaient tous concentrés sur leurs tâches. J'ai fait de mon mieux pour suivre leur exemple malgré les ampoules.

À la fin de mon quart de travail, et avant le repas du midi, je me suis lavé le visage et les mains au ruisseau, tout comme mes compagnons. Ils lançaient des regards furtifs à ce nouveau venu que j'étais, un étranger.

Le réfectoire était plus tranquille que je m'y attendais. Les jeunes gens – la plupart des adolescents et quelques autres au début de la vingtaine – parlaient à voix basse.

Lorsque j'ai pris place près du centre d'une longue table avec mon plateau de nourriture, tous mes voisins se sont tus et ont lancé des regards timides dans ma direction, trop polis pour me fixer.

Et puis, impulsivement, jouant le personnage que j'étais pendant mes études, j'ai posé mon bol d'un geste théâtral et j'ai effectué un appui renversé sur la table. La tête en bas, ne voyant personne derrière moi, je suis retombé sur mes pieds en faisant un saut périlleux arrière. Et puis, comme si de rien n'était, j'ai nonchalamment repris ma place à table et je me suis mis à manger.

Après un moment de silence absolu, la salle s'est remplie de cris perçants, de rires et de commentaires tapageurs. Les élèves qui se trouvaient près de moi se sont inclinés et ont souri. Quelques instants plus tôt, j'étais l'Étranger ; maintenant, j'étais le Gymnaste.

Durant mes deux heures de repos, je me suis occupé à laver mes pantalons, mes chemises, mes bas et mes caleçons derrière la grande maison. Pendant que mes vêtements séchaient sous le soleil, étendus sur des branches basses, je suis retourné dans mes quartiers. Trop fatigué par un travail auquel je n'étais pas habitué pour seulement songer à étudier les notes de Soc, j'ai dormi jusqu'à ce qu'il soit temps de participer à l'entraînement de taï-chi.

Alors que le soleil d'après-midi amorçait sa descente du haut d'un ciel bleu pastel, plongeant en direction de la lointaine Mongolie, je suis entré dans le pavillon blanc où de jeunes ouvriers agricoles s'étaient métamorphosés en artistes martiaux. Tous étaient vêtus d'un uniforme bleu identique, et je suis resté planté là, misérable Américain. C'est d'ailleurs ainsi que je me sentais physiquement après ma matinée de travail.

Mei Bao est apparue à côté de moi : « Maître Ch'an aimerait que vous observiez les autres pendant quelques jours afin de vous familiariser avec la routine. »

Déçu et soulagé en même temps, je me suis accroupi dans un coin et j'ai regardé les élèves se réchauffer. Ils bougeaient et s'étiraient à l'unisson en fredonnant un air rythmé. En passant près de moi, Mei Bao m'a expliqué que c'était une façon d'unifier le groupe par le biais de la respiration et du mouvement.

Après le réchauffement, ils se sont tous assis, les yeux fermés, et ont respiré profondément et lentement, ce qui, m'a dit plus tard Mei Bao, incluait une visualisation de ce qu'ils souhaitaient accomplir. Ils se sont tous levés en même temps et ont commencé leur routine de taï-chi. J'ai remarqué que maître Ch'an, l'air détendu, les observait avec attention. Il est resté à l'avant de la pièce pendant que Mei Bao déambulait parmi les élèves et allait à l'occasion échanger quelques mots avec Ch'an.

Après la séance, Mei Bao m'a brièvement raconté l'histoire du taï-chi afin de mettre mon entraînement en contexte : « La pratique traditionnelle du taï-chi vient du village de Chenjiagou, situé à l'origine non loin du temple Shaolin dans la région de Zhengzhou. Yang Luchan, un jeune serviteur de la maison Chen, a été la première personne étrangère à la famille Chen à apprendre ce style. On dit qu'il le maîtrisait si bien qu'il s'est un jour rendu dans la capitale, Pékin, que l'on appelle maintenant plus souvent Beijing, et qu'il a vaincu tant de gardes impériaux qu'il a vite été connu sous le nom de Yang l'invincible. Il a finalement créé une dynastie appelée Yang.

« La légende veut que Yang Luchan ait enseigné une forme de taï-chi simplifié au peuple de son époque, réservant à ses descendants et à ses disciples les plus proches un style secret qui n'était pratiqué qu'à l'intérieur. Or, Hua Chi s'est entraînée avec un adepte de ce style de taï-chi intérieur bien après la chute de la dynastie Qing. Ce *sifu*, ou professeur, était passablement âgé lorsque Hua Chi a fait sa connaissance, et il a voulu lui transmettre ses méthodes, car elle était une praticienne dévouée. »

Se tournant de nouveau vers moi, Mei Bao a ajouté : « Vous devrez d'abord apprendre une série de 108 mouvements, jusqu'à ce que vous puissiez incarner et démontrer six principes essentiels : la relaxation, la droiture du torse, la répartition de votre poids d'une jambe sur l'autre, le mouvement des mains comme des nuages, et le pivotement de la taille et l'unification du torse et des bras. Au début, la séquence est primitive, mais elle demeure le fondement de la formation intérieure – ouvrir le corps et le système nerveux à la captation de l'énergie du ciel et de la terre, lui permettant de circuler le long des méridiens. Ceci est bénéfique pour la santé et apporte de la puissance. C'est pourquoi cet art, qui ressemble à une danse pour l'œil non averti, s'appelle le taï-chi-chuan, ou boxe du faîte suprême. »

Au cours des jours qui ont suivi, je me suis adapté au rythme de la ferme. Après le repas du soir, je regagnais mes quartiers pour étudier le journal de Socrate et prendre des notes préliminaires dans mon carnet.

Un matin, immédiatement après le petit-déjeuner, j'ai finalement eu l'occasion de discuter encore un peu avec Mei Bao. Curieux à propos de mes camarades ouvriers et élèves, j'ai demandé : « D'où viennent tous ces jeunes gens ? Et comment sont-ils arrivés jusqu'ici ?

— Hua Chi a de nombreux contacts, entre autres dans plusieurs orphelinats, a-t-elle expliqué. Elle a pu sélectionner quelques enfants qui avaient peu de chance d'être adoptés, mais qui étaient dotés d'une grande énergie, et elle les a invités à la ferme. Ce n'est pas légal à strictement parler, mais le regard des autorités qui est obstinément tourné vers le "progrès révolutionnaire" lui laisse peu de temps pour s'attarder à une poignée d'enfants abandonnés. Comme vous l'avez vu, les élèves sont reconnaissants d'être ici et de travailler en échange de leur subsistance et d'une formation dans l'art du taï-chi. Quiconque choisit de partir – et, tôt ou tard, la majorité d'entre eux s'en vont – aura acquis la compétence nécessaire pour travailler à la ferme ou enseigner le taï-chi. Ou, peut-être ces jeunes gens pourront-ils, avec votre aide, pratiquer ou enseigner la gymnastique. »

Je n'étais pas sûr de rester assez longtemps pour apprendre ou enseigner quoi que ce soit de significatif, mais je n'ai rien dit. J'ai plutôt demandé : « Y a-t-il des élèves qui ont choisi de partir récemment ? »

J'ai remarqué son hésitation. Et puis, elle a répondu : « Ce n'est pas tout le monde qui a le tempérament nécessaire pour vivre ici. Il y a quelques années, une jeune femme a décidé de retourner à Guangzhou, sa ville natale. Je l'ai accompagnée jusqu'au village de Taishan et nous avons pu organiser son retour. Et... juste avant votre arrivée, un jeune homme s'est enfui. J'espère qu'il a su trouver son chemin dans la forêt.

— Je l'espère aussi », ai-je dit en pensant à l'ours et aux difficultés de mon propre voyage.

Changeant de sujet, j'ai demandé : « Dans la lettre qu'elle a adressée à maître Ch'an, est-ce que Hua Chi parle de mes voyages ? » Mei Bao a eu l'air perplexe et je lui ai décrit mon but professionnel. Omettant mes récentes aventures, je lui ai un peu parlé de Socrate et de ma quête pour trouver une école cachée, l'école de la vie.

« Vous croyez que *cette* école pourrait être celle dont parlait votre professeur ? a-t-elle demandé avec peu de conviction.

— Je ne sais vraiment pas, ai-je dit. Mais me voici. Et pendant que je suis ici, je me dis que mon mentor m'aurait probablement encouragé à étudier directement avec le maître de la forêt de Taishan. Maître Ch'an donne-t-il des cours particuliers ? »

J'ai cru voir Mei Bao esquisser un sourire, mais il est vite disparu. « C'est peu probable », a-t-elle répondu en s'apprêtant à se lever. « Mais je crois qu'il appréciera votre intérêt. Entre-temps, vous devrez vous contenter de mes suggestions – et de vos camarades, bien entendu. »

Le lendemain, j'ai été invité à participer à la séance de taï-chi de l'après-midi. Je connaissais le proverbe bouddhiste qui dit : « La comparaison est une forme de souffrance », mais j'ai quand même cédé et me suis comparé à mes camarades, peut-être à cause du contraste flagrant entre ma maladresse de novice et les mouvements gracieux des élèves plus avancés. Mei Bao a traduit le rappel de maître Ch'an qui m'exhortait à me concentrer sur les bonnes positions et les mouvements jusqu'à ce que je sois prêt à entreprendre la formation intérieure. *Ce qui pourrait bien n'être jamais au rythme où je progresse*, ai-je pensé.

Plus tard, lorsque Mei Bao a demandé aux élèves de lever la main s'ils souhaitaient s'entraîner avec moi à la gymnastique pendant la seconde partie de l'après-midi, tous l'ont fait. En un instant, je suis passé de l'élève empoté à celui de « distingué professeur de gymnastique », comme l'avait si bien dit maître Ch'an.

En réalité, l'enseignement dans ce lieu s'est révélé plus facile et plus amusant que je ne l'aurais cru. Mei Bao était toujours disponible et les élèves étaient disciplinés et attentifs. Je parlais ; elle traduisait. Je faisais une démonstration, ils m'imitaient. Pendant ce temps, maître Ch'an était assis tranquillement et nous observait. Et mieux encore, Mei Bao est allée passer sa tunique blanche et s'est jointe à nous en tant qu'élève !

Tous adoraient essayer de nouveaux mouvements – équilibre, rouleau, roue et, bientôt, la culbute. Contrairement au taï-chi et à l'immuabilité de ses mouvements, les possibilités de la gymnastique étaient infinies.

« La poésie et la calligraphie sont les formes raffinées de l'écriture », ai-je dit par le biais de mon interprète, « et le chant est la forme raffinée de la parole. De la même manière, le gymnaste trouve une forme raffinée des mouvements de tous les jours et élargit les frontières de l'agilité et de l'équilibre.»

J'ai remarqué que le type au torse puissant qui avait à peu près mon âge m'observait et m'écoutait attentivement. Plus tard, alors que je terminais la démonstration d'un mouvement, nos yeux se sont croisés. Il a couvert l'un de ses poings de la paume de l'autre main, symbole du salut traditionnel dans l'univers des arts martiaux.

Après l'entraînement, il a posé une main sur mon épaule et, d'un geste, m'a invité à le suivre. Il a frappé sa poitrine avec enthousiasme et a dit: «Chun Han!» J'ai moi-même imité Tarzan en lui disant mon nom. Il s'est de nouveau frappé la poitrine et a laissé échapper un rire bref et rauque que j'entendrais encore de nombreuses fois.

Nous sommes entrés ensemble dans le réfectoire et nous nous sommes assis pour prendre le repas principal de la journée. Par la suite, même si nous ne connaissions que quelques mots de la langue de l'autre, nous avons souvent travaillé ensemble et pris nos repas côte à côte. Les autres élèves, pour la plupart plus jeunes, voyaient en Chun Han une sorte de grand frère. Décontracté, même au travail, il était toujours de bonne humeur.

Un matin, je suis allé faire un tour derrière la grande maison et j'ai vu Chun Han faire un appui renversé contre un tronc d'arbre. Son visage était un masque de détermination. Lorsqu'il m'a aperçu, il a rapidement reposé les pieds sur le sol, un large sourire aux lèvres. Lorsque je lui ai proposé de recommencer, il l'a fait et a enchaîné avec un saut périlleux arrière. J'en ai fait mon assistant sur-le-champ. Il s'est avéré qu'il avait un don pour assister les autres élèves qui s'initiaient aux sauts périlleux. Il a repéré deux autres élèves qui avaient un peu d'expérience en gymnastique et ils se sont joints à nous pour faire des démonstrations et aider leurs camarades.

Je m'étais souvent demandé si certaines personnes possèdent naturellement plus d'énergie que d'autres, si c'était un trait génétique caractéristique ou un pur hasard. Quoi qu'il en soit, Chun Han avait cette énergie innée. Sa vitalité et son enthousiasme m'inspiraient tout en suscitant parfois un sentiment de frustration. Un jour, je lui ai demandé, par le biais de Mei Bao, pourquoi il souriait tant. Il a ri et lui a répondu en mandarin. Elle a traduit ses propos avec un sourire : « Ce n'est qu'une mauvaise habitude. »

La routine quotidienne de la ferme a porté ses fruits avec la croissance des cultures, la moisson, les progrès en taï-chi et en gymnastique. Le dimanche, nous travaillions quelques heures de moins et consacrions le reste de la journée à effectuer quelques réparations, de menus travaux et du raccommodage.

Mei Bao quittait la ferme de temps en temps – pour aller cueillir des plantes médicinales pour maître Ch'an ou un élève malade, m'avait-elle dit. Elle se rendait également au village de Taishan une fois par mois – « pour acheter quelques articles essentiels et glaner les "nouvelles du sentier", répandues par le bouche-à-oreille, à propos de la situation politique générale, m'avait-elle expliqué.

Jusqu'à maintenant, nous avons été épargnés par la tourmente. »

Dans cette ferme isolée, le monde de la politique semblait bien loin.

Quelques jours plus tard, par une fraîche journée d'automne, Chun Han m'a invité d'un geste à l'accompagner pour une promenade en forêt. Il m'a guidé entre les arbres. J'ai attendu pendant qu'il déplaçait un enchevêtrement de branches pour révéler un sentier caché de l'autre côté d'un petit temple. Cinquante mètres plus loin, nous sommes arrivés au bord d'un lac à la surface d'un bleu cristallin qui m'a fait penser à l'étang de Walden, au Massachusetts, ainsi qu'à la paix et à l'inspiration que David Thoreau y avait trouvées.

Nous avons marché lentement sur la berge, à l'ombre des arbres qui étiraient leurs branches au-dessus de la surface de l'eau. Parfois, nous devions nous pencher pour passer sous des branches plus basses qui laissaient derrière notre passage un tapis de feuilles sur le sol. Nous cheminions en silence, mais j'ai capté un message inexprimé – en partageant avec moi ce lieu qu'il adorait manifestement, Chun Han approfondissait une empathie et une amitié qui transcendaient la barrière de la langue et nos différences culturelles.

Tout en m'acquittant de mes tâches de professeur de gymnastique, j'ai continué à perfectionner ma façon de guider les élèves afin qu'ils assimilent parfaitement mes leçons. Chez moi, lorsque je supervisais l'entraînement de gymnastes d'élite, il m'arrivait souvent de donner de longues explications à propos d'une technique. Un jour, un Olympien américain qui faisait partie de mon équipe et qui s'était entraîné pendant un an au Japon, m'avait dit : « J'ai remarqué qu'un entraîneur japonais nous dit une chose et nous demande ensuite de répéter le mouvement 100 fois. Un entraîneur américain nous dit 100 choses et nous demande d'exécuter le mouvement une fois. »

Mon souvenir de cette exagération pleine d'esprit m'a rappelé de faire usage de la parole avec modération de manière à limiter les interventions de Mei Bao et à ne pas nuire à son propre entraînement. J'aidais les élèves à maîtriser les mouvements de base et ils trouvaient ensuite leur propre rythme. Dans l'univers des arts martiaux, il y a un adage qui dit : « Apprenez un jour, enseignez un jour », ce qu'ils faisaient naturellement, jouant tour à tour le rôle de l'élève et celui du professeur.

Je n'avais pas oublié mon but premier – décoder et développer les notes et les idées contenues dans le journal de Soc, page après page. Cela me pesait de plus en plus chaque jour et il fallait que je me décide à m'y mettre. *Bientôt*, me suis-je dit. *Très bientôt.*

Quelques jours plus tard, j'ai décidé de transmettre un message plus important aux élèves. Après leur avoir rappelé qu'ils devaient non seulement consacrer leur vie à l'entraînement, mais aussi leur entraînement à leur vie – en soulignant comment, en plus de développer l'agilité du corps, la pratique de la gymnastique rend l'esprit plus alerte –, je leur ai enseigné une chanson de réchauffement en anglais – que Mei Bao a traduite afin qu'ils comprennent bien le sens de chaque strophe. Ensuite, avant le début de chaque séance, nous avons chanté : « Rame, rame, rame dans ton bateau.[1] »

« Les enfants apprennent cette chanson dans mon pays, ai-je dit, mais peu de gens en comprennent les vérités profondes. Ces vérités s'appliquent, comme vous le verrez, non seulement à la gymnastique ou au taï-chi, mais à la vie en général. Les mots "Rame, rame, rame dans ton bateau" nous rappellent de bâtir notre vie sur les fondements de l'action et de l'effort, et non pas sur la pensée positive ou les sentiments. Penser à effectuer un geste est la même chose que de ne rien faire. Notre vie est façonnée par nos actes – par l'action de ramer dans notre bateau. Seuls les efforts répétés avec le temps donnent des résultats à l'entraînement et dans la vie de tous les jours. »

L'un des élèves a spontanément cité un proverbe chinois, d'abord timidement et puis avec un enthousiasme croissant : « Le temps et la patience permettent de soulever des montagnes !

— Exactement ! », ai-je dit en pensant au ¡ Exactamente ! de Papa Joe.

« Les quatre mots suivants : "Doucement, dans le courant", nous enseignent d'éviter toute tension inutile, de ramer avec le flux du tao, avec les marées et les courants naturels de la vie.

— C'est ce que nous, les Chinois, appelons *wu wei*, ou la non-résistance », a ajouté Mei Bao.

---

1. *Row, Row, Row, Your Boat* est une chanson enfantine américaine populaire.

— Et le passage : "Gaiement, gaiement, gaiement, gaiement" nous rappelle avec insistance de vivre avec un esprit léger, de nous prendre moins au sérieux et de résoudre les problèmes de la vie quotidienne avec la même attitude empreinte de plaisir que vous adoptez en apprenant la gymnastique. » Sur ce, je me suis mis en équilibre sur les mains, les pieds joints. Les élèves m'ont imité avec enthousiasme. J'ai entendu le rire rauque de Chun Han à l'arrière du groupe.

— Finalement, voici la dernière strophe : "La vie n'est qu'un rêve". Je vous propose de discuter ensemble de sa signification pendant le repas du soir. Fin du cours ! »

J'ai ensuite raconté à mes élèves un conte populaire taoïste à propos de Joshu, un ouvrier chinois qui devait chaque jour ramer sur le Fen dans son petit bateau pour se rendre au travail et en revenir. « Le matin, ai-je dit, Joshu devait ramer contre le courant, mais le retour était beaucoup plus facile. Un matin, pendant qu'il ramait en remontant le courant, il a senti une secousse soudaine lorsque l'embarcation d'un autre homme a percuté sa barque. Avec colère, Joshua a montré le poing à l'imprudent en criant : "Regarde où tu vas !" Il lui a fallu plusieurs minutes pour se calmer, se disant que les gens devraient être plus attentifs. À peine avait-il retrouvé son calme qu'il a senti une *autre* secousse alors qu'une seconde embarcation entrait en collision avec sa barque. Il n'arrivait pas à le croire ! Enragé cette fois, il s'est tourné pour admonester ce nouvel idiot. Mais il est resté sans mots et sa colère s'est évanouie lorsqu'il a vu que l'embarcation était vide et avait dû se détacher de ses amarres et descendre le courant.

« Donc, que croyez-vous que signifie cette histoire ? », ai-je demandé pendant qu'une Mei Bao souriante traduisait.

Les élèves ont échangé quelques commentaires, et puis l'un d'eux a pris la parole. Mei Bao a dit : « Hai Liang dit que nous devons traiter tout le monde comme une embarcation vide. »

J'ai souri et j'ai approuvé d'un signe de tête, ce qui a semblé rendre les élèves aussi fiers d'eux que moi d'eux.

Plus tard, au réfectoire, pendant que je les observais discuter avec animation, Mei Bao m'a dit : « Ils parlent avec beaucoup de sérieux de la façon dont la vie pourrait être un rêve merveilleux. »

19

Quelque chose à propos de ces élèves assidus m'a grandement aidé à me remettre à la lecture du journal de Socrate. Alors que je continuais à étudier ses notes en tentant d'y trouver la trame d'un thème, j'ai commencé à croire, pour la première fois, que j'aurais peut-être quelque chose à partager en plus des mouvements de gymnastique et des chansons enfantines. Écrire mon journal ne serait qu'un début. J'écrirais peut-être autre chose plus tard.

Je me suis représenté le visage souriant de Soc. Pendant un instant, j'ai vraiment senti sa présence.

Ce soir-là, alors que je me préparais à commencer à écrire pour de bon, un grand calme a enveloppé la ferme. Le lendemain matin, j'ai constaté que la neige avait recouvert les champs et les toits d'un tapis blanc. L'hiver arrivait tôt. Déjà, deux mois avaient passé, et il semblait maintenant que Hua Chi – si elle avait l'intention de venir me chercher – n'arriverait pas avant le printemps.

J'ai fait part de mon inquiétude à Mei Bao, mais elle s'est contentée de hausser les épaules. Ni elle ni maître Ch'an ne disposaient des moyens nécessaires pour renvoyer un Américain à Hong Kong en toute sécurité. Je me suis dit que si Hua Chi arrivait après la fonte des neiges, cela me laisserait tout de même le temps de me rendre au Japon puisque l'on ne m'attendait pas en Ohio avant le mois de juin. Cela m'a apporté un certain réconfort.

Le soir suivant, j'ai mangé rapidement, j'ai pris congé de mes camarades et je suis retourné dans la grange. M'installant à la petite table, j'ai craqué une allumette. La pièce s'est illuminée doucement lorsque j'ai soigneusement allumé la lampe à huile. Et puis, j'ai ouvert le journal de Socrate. J'ai transcrit le premier paragraphe, exactement comme l'avait écrit Soc, probablement avant que la fièvre ne s'empare de lui. Il commençait ainsi :

> *Après une longue préparation, la vie tout entière apparaît. Non pas uniquement la vie de tous les jours, mais une arène plus vaste d'où émerge toute sagesse, fondée sur une appréciation du paradoxe, de l'humour et du changement.*

Paradoxe, humour et changement : je me rappelais ces trois mots qui étaient inscrits sur l'étrange carte de visite que Socrate m'avait donnée de nombreuses années auparavant, et que je conservais toujours dans mon porte-monnaie. J'avais souvent été tenté d'utiliser la carte pour l'appeler, car il m'avait promis d'apparaître « d'une façon ou d'une autre » pour me guider. *Peut-être était-ce actuellement par le biais de maître Ch'an*, ai-je pensé. J'ai ouvert mon porte-monnaie et j'en ai sorti la carte ; maintenant écornée et d'apparence plus qu'ordinaire, elle ne luisait plus. (L'avait-elle déjà fait ? Je n'en étais plus certain.) Je l'ai remise à sa place, comme un rappel du temps que Soc et moi avions passé ensemble, et je suis retourné à ses notes, et à mon écriture.

J'ai réfléchi à des passages du journal que Soc devait avoir écrits avant d'être terrassé par la fièvre.

> *Changement : la mort est une chose, la naissance en est une autre. Humour : le véritable humour va au-delà des blagues et du rire. Acceptation détendue, légèreté… la vie est un jeu. Paradoxe : portail menant à la sagesse… contradictions apparentes, mais toutes vraies… Les cinq vérités bouddhistes. Le meilleur des temps de Dickens… Nasruddin a raison… Quatre domaines clés… doit comprendre, concilier.*

Socrate avait voulu développer ces idées. *Qu'aurait-il écrit s'il avait rédigé un texte plus élaboré ?* me suis-je demandé. *Puis-je en saisir le sens ?* Mon esprit est devenu aussi vide que la page que j'avais devant moi.

Et puis, je me suis dit : *Et si je voulais partager les idées de Socrate avec mes élèves ? Comment les exprimerais-je ?* Avec ces questions flottant dans l'air, j'ai commencé à lire, et puis à écrire, revenant parfois en arrière pour biffer une phrase dans mon carnet, déterminé à passer au travers de cette jungle de notes éparses.

Lorsque j'ai eu le sentiment d'avoir fait tout ce que je pouvais pour le moment, j'ai relu mon texte, encore et encore, le modifiant ici et là. Mon travail commençait à prendre un rythme qui lui était propre et je me suis perdu en lui.

Finalement, tard dans la nuit, j'ai relu ce que j'avais écrit. Bien que la carte de Socrate mentionnait d'abord le paradoxe, et puis l'humour et le changement, dans cet ordre, j'ai décidé de garder le paradoxe pour la fin, et j'ai commencé par le changement.

La vie est un océan qui apporte des vagues de changement, qu'on le veuille ou non. Comme l'empereur Marc Aurèle l'a écrit : « Le temps est une rivière d'événements qui passent. Aussitôt une chose est-elle portée à notre vue qu'elle disparaît, et une autre prend sa place, pour disparaître elle aussi. » Le Bouddha, laissant derrière lui une enfance protégée pour une renonciation ascétique qui lui a permis d'atteindre l'illumination, a observé : « Tout ce qui a un commencement a une fin. Sois en paix avec cette vérité et tout ira bien. »

L'humour, dans son sens le plus noble, transcende le relâchement de la tension momentanée qu'apporte le rire, et donne naissance à un profond sentiment de bien-être et à une approche décontractée devant les défis qu'apporte parfois la vie, grands ou petits. Lorsqu'on contemple le monde à travers la lentille de l'humour transcendant, comme d'un lointain sommet, on découvre que la vie est un jeu auquel on peut jouer comme s'il comptait vraiment – avec un esprit paisible et l'âme d'un guerrier. On peut rester connecté au monde, mais on peut aussi s'élever au-dessus de lui, sans s'arrêter à ses drames personnels.

Le *paradoxe* consiste en toute proposition contradictoire qui, lorsqu'on l'étudie, peut s'avérer bien fondée ou vraie. Une fois qu'on le comprend, il ouvre la porte de la sagesse supérieure. Mais comment deux principes contradictoires peuvent-ils être tous deux vrais ?

Comme le présente l'énigme bouddhiste des cinq vérités : « C'est vrai. C'est faux. C'est à la fois vrai et faux. Ce n'est ni vrai ni faux. Tout existe simultanément. »

Charles Dickens a exprimé le paradoxe de son époque, encore vrai aujourd'hui, lorsqu'il a écrit : « C'était le meilleur et le pire des temps, le siècle de la sagesse et de la folie, l'ère de la foi et de l'incrédulité, la saison de la lumière et des ténèbres, le printemps de l'espérance et l'hiver du désespoir. »

Deux énoncés contraires peuvent êtres vrais. Tout dépend de l'observateur : il est vrai que les araignées sont des tueuses impitoyables du point de vue des minuscules insectes qui se prennent au piège de leur toile – mais aux yeux de la majorité des êtres humains, presque toutes les araignées sont des créatures inoffensives.

Une histoire du sage mollah soufi Nasruddin explique la nature du paradoxe. On lui a demandé d'agir comme arbitre et de trancher un différend entre deux hommes qui avaient des opinions diamétralement opposées. Après avoir entendu le premier homme, il a dit : « Vous avez raison. » Et après avoir entendu le deuxième homme, il a également dit : « Vous avez raison. » Lorsqu'une personne dans l'assistance a fait remarquer : « Ils ne peuvent pas avoir raison tous les deux », le mollah s'est gratté la tête et a dit : « Vous avez raison. »

Approfondissons la question et penchons-nous sur quatre paires de vérités paradoxales fondamentales :

- *Le temps est réel. Il s'écoule du passé au présent au futur.*

- *Il n'y a pas de temps, pas de passé, pas de futur – il n'y a que le présent éternel.*

- *Nous avons un pouvoir de libre arbitre et pouvons par conséquent assumer la responsabilité de nos choix.*

- *Nos choix sont soumis à des influences, et sont même prédéterminés par tout ce qui les a façonnés.*

- *Nous sommes, ou possédons, un moi distinct, à l'intérieur d'une enveloppe charnelle.*

- *Nous sommes une facette du diamant de la Conscience qui brille dans des milliards d'yeux.*

- *La mort est une réalité inévitable à laquelle nous serons confrontés à la fin de notre vie.*

- *La mort du moi intérieur est une illusion. La vie est éternelle.*

Devons-nous choisir une assertion et rejeter l'autre? Ou y a-t-il un moyen de résoudre clairement et même de concilier de telles contradictions? Tout ce qui suit porte sur cette dernière question.

Je me suis redressé sur ma chaise, enivré et épuisé par cet exercice mental. *Est-ce que ce sont mes mots ou les siens?* me suis-je demandé. De nombreuses années auparavant, dans la vieille station-service, Socrate avait souligné quelques-unes de ces vérités contradictoires. Il me semblait, même aujourd'hui, à la lumière de ma réalité quotidienne, que seul le premier énoncé de chaque paire était indéniablement vrai – le temps passe, le libre arbitre existe, nous sommes (ou possédons) un moi intérieur, et personne n'échappe à la mort.

Sur cette pensée, j'ai éteint la lampe et me suis étendu pour la nuit, respirant les riches arômes de la paille et de la terre qui flottaient dans la grange tel un encens chinois.

J'ai passé la majeure partie de la matinée suivante à ramasser des pierres dans une nouvelle parcelle destinée à la culture. J'ai vu maître Ch'an au loin qui regardait dans ma direction. *Je ne peux quand même pas lui demander de me donner des cours particuliers*, ai-je pensé, *mais s'il voit à quel point je travaille dur, à quel point je suis sincère...* Je me suis mis à faire de grands pas, à pousser des grognements et, à l'occasion, à m'essuyer le front pour montrer mes efforts. J'ai regardé dans la direction de maître Chan, juste à temps pour le voir me tourner le dos et entrer dans la grande maison.

Cet après-midi-là, Chun Han m'a déposé dans les mains l'une des plus grosses pierres que nous avions ramassées pendant la matinée et il m'a fait signe de le suivre. Il m'a conduit jusqu'au ruisseau où nous avons laissé tomber ma pierre et celle qu'il transportait dans les profondeurs de l'eau. Répétant le processus, nous avons graduellement construit une digue de plus d'un mètre de hauteur avec une ouverture au sommet par où s'écoulait l'eau en cascade. Nous étions tous les deux en sueur malgré l'air frais. Fatigué, je me sentais irrité par les sourires et la gaîté de Chun Han, jusqu'à ce que les mots de la chanson se fassent entendre dans ma tête : « Doucement, dans le courant... »

De retour à la grange, j'ai trouvé des vêtements d'hiver – un pantalon de laine et un épais veston de coton. Au moins, quelqu'un appréciait mon travail, même si ce n'était pas maître Ch'an.

Le lendemain matin, j'ai aperçu Mei Bao qui se dirigeait vers la forêt en compagnie d'un élève.

Cet après-midi-là, Mei Bao n'étant pas revenue, c'est maître Ch'an qui nous a observés effectuer notre routine de taï-chi. J'avais le sentiment de faire des progrès. Beaucoup plus à l'écoute de mon flux d'énergie intérieure, je sentais une chaleur au bout de mes doigts, un signe que mes articulations et mes tendons s'ouvraient. J'ai compris qu'il ne s'agissait pas d'une réalisation ésotérique, mais que c'était plutôt le résultat naturel d'une pratique attentive et de constants rappels à la relaxation. Pendant que le maître m'observait, j'ai exécuté les mouvements avec une fluidité qui ne laissait deviner aucun effort. Le maître, comme d'habitude, parlait peu, et jamais à moi.

Lorsque Mei Bao est revenue, juste avant la séance de gymnastique, je l'ai interrogée sur son expédition. « Je suis allée cueillir des herbes, a-t-elle dit. Ainsi, chaque élève apprend où les trouver. » J'ai espéré qu'elle me demanderait de l'accompagner un de ces jours, mais j'ai compris que les élèves chinois avaient la priorité.

La séance de gymnastique endiablée de fin d'après-midi était un parfait complément à la lenteur intériorisée de la pratique du taï-chi. Tirant le maximum de ce contraste, je tentais de varier nos exercices et de les rendre amusants. Donc, vers la fin de la séance, avec Mei Bao qui traduisait, j'ai proposé une course entre Chun Han et un autre des élèves plus âgés le long d'un alignement de tatamis. Ils partiraient au même moment. La tâche de l'autre élève consisterait à courir le plus vite possible parallèlement à l'alignement de tatamis. Chun Han, quant à lui, ferait un sprint de quelques mètres, et ensuite une rondade avant de me contourner, et enchaînerait avec une série de saltos arrière de manière à se propulser rapidement jusqu'à l'autre extrémité de la pièce.

J'ai posé une question : « Qui remportera l'épreuve ? » Excités, les élèves se sont regroupés pour les observer. Ils ont bruyamment acclamé Chun Han lorsqu'il a gagné avec une avance d'une seconde. Ils ont tous voulu faire des courses similaires à tour de rôle – je n'avais pas besoin de Mei Bao pour leur dire que leurs mouvements acrobatiques deviendraient bientôt plus fluides et plus rapides.

20

Même si je participais activement à la routine de la ferme et à la pratique du taï-chi et de la gymnastique, je ne pouvais pas m'empêcher de retourner dans ma tête les paradoxes qui étaient au cœur de ce que Socrate avait tenté d'exprimer dans son journal. Au début, ces paradoxes me mettaient mal à l'aise. Ce n'est que lorsque j'ai été complètement absorbé par les mouvements aériens de mes élèves qu'une idée – la première lueur de ce qui ressemblait à de la compréhension – a pris forme dans mon esprit. Ce soir-là, je me suis installé à ma table en sachant ce que je voulais écrire, ce que je devais écrire, avant même d'ouvrir mon carnet. J'ai couché des mots sur le papier et je les ai relus et corrigés jusqu'aux petites heures du matin.

J'ai mis mon journal de côté et j'ai attendu le lever du soleil pour voir où ma plume, sous la conduite de Socrate, m'avait mené – pour relire encore une fois ce que j'avais écrit.

Il y a une façon de concilier les quatre paradoxes fondamentaux de la vie et d'épouser les vérités de chacun d'eux. Afin de franchir ce pas, considérons que tous ces paradoxes tournent autour d'un soi-disant soi qui est né et qui est mortel. Dans la vie de tous les jours, nous nous identifions à un « je » qui semble ancré quelque part à l'intérieur de notre tête. Mais si cette perception d'un moi intérieur n'était qu'une illusion? Qu'est-ce qu'une telle découverte nous permettrait de découvrir? Pour mieux comprendre, examinons une autre illusion qui semble aussi réelle que notre identité individuelle.

En ce moment, nous sommes assis ou debout sur ce qui semble être, sur ce que nous sentons être, un objet solide, quelque chose de réel. Lorsque nous tendons la main pour serrer celle d'un autre individu, pour toucher un être aimé, ou simplement pour ouvrir une porte, nous avons l'impression d'établir un contact physique. Mais la matière soi-disant solide, nous le savons maintenant, est faite de molécules, qui sont composées d'atomes, c'est-à-dire surtout d'espace vide. Aucun objet n'en touche vraiment un autre, pas dans le sens où on l'entend généralement. Ce sont plutôt des champs d'énergie qui interagissent les uns avec les autres, comme la poussée des mains au taï-chi lorsque les partenaires offrent et reçoivent alternativement, jouant avec l'énergie en mouvement.

Je me suis surpris à pianoter sur la table, remarquant à quel point elle semblait réelle et solide. Mais la pensée du vide et des champs d'énergie m'a ramené au mystère et à la magie dont j'avais fait l'expérience avec Socrate de nombreuses années auparavant. J'ai poursuivi ma lecture.

Nous pouvons imaginer la dimension atomique, mais nous ne pouvons pas vraiment y naviguer. Et pourtant, il se produit un changement, à la fois profond et subtil, lorsque nous songeons à la façon dont la réalité peut différer de ce que nous sentons dans un état de conscience ordinaire. Une brèche s'ouvre. Et si nous plongeons le regard dans cette brèche, cette minuscule déchirure dans la doublure de l'univers, une nouvelle vision devient possible.

Dans l'Inde ancienne, un homme qui se promenait dans la forêt a rencontré le bouddha sans le reconnaître. «Êtes-vous un sorcier?», a-t-il demandé. Le bouddha a souri en secouant la tête. «Vous êtes certainement un roi ou un grand guerrier!» Encore une fois, le bouddha a dit non. «Alors, qu'est-ce qui vous rend si différent de tous les gens que je connais?», a demandé l'homme. Le bouddha s'est tourné vers lui. Leurs yeux se sont croisés. Soutenant le regard de l'homme, le bouddha a dit: «Je suis conscient.»

Un tel éveil est le but premier de toute quête spirituelle. On le qualifie aussi de réalisation, union, kensho, samadhi, satori, fana, illumination et libération. Il suppose la faculté de voir au travers et au-delà du soi-disant moi intérieur. Pourquoi sommes-nous si nombreux à aspirer à un tel éveil? Peut-être parce que nous craignons la mort dans toutes ses incarnations – la mort de ceux que nous aimons, la mort de l'espoir, la mort du sens de la vie, la mort du corps, la mort du soi.

Mais avant de pouvoir nous éveiller, nous devons réaliser que nous sommes en quelque sorte endormis – que nous rêvons à l'intérieur d'une réalité consensuelle jusqu'à ce que nous goûtions au transcendant. Un simple aperçu peut changer notre vie. Il n'est pas nécessaire de connaître l'illumination absolue pour trouver la libération. Même au milieu d'une journée ordinaire, un changement subtil dans notre état de conscience peut unir le temporel et le transcendant, nous libérant momentanément de la peur de la mort et révélant un passage menant à la vie éternelle.

Pratiquer l'illumination avant l'illumination, ai-je pensé. *Quelle idée novatrice. Vraiment ? Qu'est-ce que Socrate a tenté de me dire pendant tout ce temps ?* Et maintenant, en ce moment précis, *cette faculté de voir au travers du moi intérieur distinct – une forme de mort en soi – peut-elle offrir un moyen d'échapper à l'ultime disparition et ouvrir un portail menant à la vie éternelle ?* Un autre paradoxe, une autre énigme.

21

Au début de février, nous accomplissions la majeure partie de nos tâches à l'intérieur, nous adonnant à des travaux de réparation et d'entretien, et veillant à ce que les animaux soient bien soignés. Nous avons emmagasiné et séché davantage de nourriture et installé des glacières à l'extérieur.

Bientôt, un vent glacial a balayé la plaine dénudée du nord de la Chine. La mousson d'hiver, sèche et poussiéreuse, déferlait de la Mongolie et du lointain désert de Gobi. Certains jours, il faisait plus froid, beaucoup plus froid qu'en Ohio où les hivers étaient pourtant rudes. Le soir, un petit poêle à bois nous gardait au chaud, mais il ne pouvait rien contre la poussière qui s'insinuait partout.

Pendant nos séances de taï-chi, nous avons mis l'accent sur la poussée des mains, travaillant en équipe de deux, chaque partenaire étant tour à tour actif et réceptif, poussant et attirant, transférant son poids d'une jambe sur l'autre, passant du plein au vide. Le plus détendu des deux déracinait aisément l'autre, le projetant vers l'arrière où il était cueilli par un autre élève. J'avais peu d'expérience dans la discipline de la poussée des mains et j'ai dû souvent faire un pas ou deux en arrière lorsque mon partenaire détectait chez moi un point de tension. C'était plus frustrant que tous les autres mouvements que j'avais pratiqués, et je me sentais incompétent jour après jour.

Et depuis quelque temps, j'éprouvais également de la difficulté à écrire. Au début, j'avais noirci quelques pages avec une certaine facilité. Maintenant, je travaillais avec ardeur, parfois une soirée entière, sur une ou deux phrases.

Malgré la frustration que le taï-chi et l'écriture faisaient naître en moi, je bénéficiais toujours pendant l'entraînement de l'exemple des autres élèves, sans parler des encouragements enjoués de Chun Han. Une fois, pendant une séance d'étirements, j'ai même aperçu un rare sourire d'approbation sur le visage de maître Ch'an. Je n'ai pas eu le temps d'apprécier ce moment à cause d'une douleur musculaire à la cuisse droite. Elle découlait d'une blessure subie lors de mon accident de moto dont je ne m'étais jamais entièrement remis.

Pendant ce temps, les vents s'apaisaient rarement. Lorsque leurs murmures glaciaux se transformaient en hurlements, et que la poussière et la neige tourbillonnaient, la ferme perdait une partie de son charme. Lors des moments calmes, je fermais les yeux et je plongeais dans mes souvenirs, m'imaginant étendu sur le sable chaud d'une plage californienne.

Un matin, je me suis réveillé si frigorifié que j'ai dû courir sur place pour me réchauffer. Plus tard, Chun Han et moi avons comme d'habitude partagé le contenu d'une théière et échangé quelques mots en anglais et en mandarin. En mandarin, chaque mot a un sens différent selon l'un des quatre tonèmes qui est utilisé, et cela représentait pour moi un grand degré de difficulté. De son côté, Chun Han trouvait la prononciation anglaise plutôt ardue. Par exemple, il m'a demandé un jour si je voulais une collation en utilisant le mot « snake »[2] au lieu de « snack ». Mais la majeure partie du temps et avec l'aide de figurines amusantes, nous arrivions à échanger des idées et à nous comprendre l'un l'autre.

Alors que je poursuivais mon apprentissage du taï-chi, et que je commençais à exécuter les mouvements avec davantage de précision et à un niveau plus poussé de relaxation, je me sentais parfois traversé par des impulsions d'énergie. À mesure que les couches de tension se dissipaient, je devenais plus conscient des endroits où elle était encore subtilement présente. Graduellement, j'ai fait des progrès dans la pratique de la poussée des mains. Mais dès que je croyais maîtriser quelque chose, aussi minime soit cet accomplissement, quelqu'un m'envoyait voler dans les airs.

Est-ce que j'aurais fait de réels progrès lorsque Hua Chi apparaîtrait ? *Si seulement je pouvais passer ne serait-ce qu'un peu de temps à travailler seul à seul avec maître Ch'an !* Mais cela semblait peu probable. Même les élèves les plus avancés s'entraînaient les uns avec les autres. J'étais toutefois

---

2 Serpent. *(Note de la traductrice)*

heureux que Mei Bao se trouve souvent dans les parages, toujours prête à traduire une question ou à expliquer un détail subtil.

Un soir, après le repas, dans un accès de mauvaise humeur, je lui ai demandé pourquoi maître Ch'an ne transformait pas cet endroit en une sorte de secte. «Après tout, ai-je déclaré, c'est une ferme isolée qui se trouve sous la seule autorité d'un personnage central, charismatique…»

Les sourcils de Mei Bao se sont contractés. Elle m'a dit qu'elle poserait cette question à maître Ch'an.

Le lendemain, elle m'a apporté la réponse. Avec un geste ample du bras, elle a désigné la grange, les champs, la grande maison et le pavillon : «En un sens, peut-être *sommes*-nous une secte. Mais notre organisation semble-t-elle mauvaise? Nos élèves sont-ils endoctrinés? Sont-ils maladifs ou malheureux ou exploités? Ou sont-ils servis aussi bien qu'ils servent? Regardez avec vos yeux. Sentez avec votre cœur. Et au point où on est rendus, pensez avec votre cerveau.»

Elle a enchaîné avec une candeur inattendue : «Si vous regardez au-delà de cette ferme et contemplez l'ensemble de la Chine, vous trouverez des millions de gens qui vivent sous l'autorité absolue du "Grand Timonier". Tous doivent mémoriser ses paroles et les réciter à voix haute. Décrets et déclarations, manipulation et propagande. Des frères se sont tournés contre leurs frères, des enfants contre leurs parents, des parents l'un contre l'autre, tentant tous de l'emporter l'un sur l'autre dans leurs manifestations enthousiastes de zèle et de soumission inconditionnelle, cherchant tous l'approbation du chef suprême. C'est là que vous trouverez votre secte, là où Dieu est l'État, et là où l'État n'est qu'un seul homme, servi par ceux qui rentrent dans le rang et qui, autrement, seraient éliminés. » Elle s'est tue brusquement ; je n'étais pas certain qu'elle avait voulu parler aussi librement ou avec autant de force. « Maître Ch'an et moi croyons que notre peuple saura traverser cette période de son histoire.

— Est-ce que ce sont les paroles de maître Ch'an ou les vôtres ? », ai-je demandé d'un ton plus rude que je ne l'aurais voulu.

— Peu importe qui a exprimé cette idée, a-t-elle répondu posément. Elle demeure vraie. »

Ces derniers mots résonnaient dans mon esprit pendant que je regagnais la grange après le repas. Avant de continuer à écrire, j'ai relu les quelques pages que j'avais réussi à produire au cours des dernières semaines :

Enfant, sommes-nous conscients de notre moi intérieur ? Ou ce sentiment d'identité est-il le résultat d'une convention sociale ? Pendant les deux premiers mois qui suivent la naissance, la conscience pure réside dans un état second d'unicité indifférenciée, baignant dans un amalgame de sensations qui ne fait aucun sens, qui n'a aucune signification. Mais petit à petit, pendant la première année de notre vie, ce nouveau sentiment du « moi » commence à comprendre ce que nos parents entendent lorsqu'ils font un geste en direction de notre corps ou nous appellent par notre prénom.

Chaque enfant qui s'éloigne de cet état de conscience expansionniste apprend à organiser ses perceptions autour d'un point central appelé « je ». Ce n'est que plus tard, une fois adulte, que nous pouvons retrouver le chemin menant à ce jardin d'innocence, tout en conservant la sagesse et l'expérience acquises jusqu'alors. Nous pouvons même apprendre à passer d'un monde à l'autre. Les maîtres spirituels, les artistes, les jardiniers, les médecins, les manucures, les étudiants ou les mendiants peuvent, en tout temps, et pour quelque raison que ce soit, se mettre en quête de quelque chose qu'ils n'arrivent pas à nommer – le désir de s'élever afin de s'approprier une vérité supérieure et les possibilités qu'offre la vie.

Tout d'abord, j'ai senti mes doutes s'estomper. Mais qu'avais-je atteint en traduisant les idées de Socrate ? Il aurait peut-être estimé la valeur de mes mots, mais qu'en ferait un autre lecteur ? *Un individu peut-il vraiment traverser un pont entre deux mondes en un instant ?* J'ai tourné quelques pages et j'ai poursuivi ma lecture.

Il n'est pas nécessaire de connaître l'illumination absolue pour trouver la libération. Même au milieu d'une journée ordinaire, un changement subtil dans notre état de conscience peut unir le temporel et le transcendant, nous libérant momentanément de la peur de la mort et révélant un passage menant à la vie éternelle.

Même si je m'étais efforcé de rendre fidèlement les idées de Socrate dans mes propres mots, j'étais tenté de rejeter ces nobles notions, de les reléguer au rang de pure spéculation – mais je ne pouvais pas m'y résoudre. À l'époque où Socrate était mon mentor, il m'avait dit des choses qui m'avaient semblé saugrenues de prime abord. Mais par la suite, ses propos m'étaient apparus plus vrais et essentiels que toutes les leçons apprises pendant mon enfance. Ces souvenirs étaient si vifs que j'avais l'impression que je pourrais trouver la station-service de Soc dans la pièce voisine. Dans cet état d'esprit, j'ai décidé de m'attaquer à l'un de ses concepts les plus difficiles – la question et le paradoxe, les avantages et les responsabilités, de l'identité.

Notre identité « en tant qu'homme, femme, membre d'un corps professoral, d'un club, d'une tribu ou d'un groupe religieux » apporte un sentiment d'appartenance à une collectivité. Mais toute appartenance peut mener à l'exclusion, tout soi peut en créer un autre, et le nous peut devenir eux.

Chaque jour, nous puisons dans des liens d'identité empathiques avec des membres de notre famille, des amis et des amants. Nous nous identifions à des personnages de la littérature et du cinéma, ce qui nous permet de nous immerger dans des mondes imaginaires, de transcender notre moi des milliers de fois au cours de notre vie. Et tout comme nous pouvons nous identifier à un personnage d'une histoire en sachant simultanément que nous ne le sommes pas vraiment, nous pouvons découvrir que nous jouons également le rôle d'un personnage dans la vie quotidienne.

La prise de conscience de cette réalité ouvre une brèche dans le tissu du monde, une brèche dans laquelle nous pouvons nous glisser. Il devient alors possible de vivre comme si nous avions un moi qui ne nous emprisonne pas. Ceci marque le début de la liberté et de la vie spontanée, une vie dans laquelle l'uniformité est surfaite, les attentes sont ignorées et où le dépassement de soi devient non seulement une possibilité, mais aussi une pratique.

Alors que les frontières du moi limité – le moi isolé, inaltérable – deviennent perméables et transparentes, le concept de la mort devient moins tangible, moins substantiel, plus ouvert au questionnement et à l'interprétation. En quoi cela peut-il influer sur notre perception de la perte de quelque chose qui pourrait ne pas exister vraiment?

—✳︎—

Des semaines ont passé. Je pensais souvent à ma petite fille même si je savais que je n'avais aucun moyen de la joindre. Je pensais au père que je voulais être lorsque nous serions de nouveau réunis. Dans la froidure de cette fin de février, maintenant que les chutes de neige s'espaçaient, Mei Bao m'a invité à l'accompagner au village de Taishan, une randonnée d'une demi-journée. J'ai adressé à ma fille la carte postale que j'avais achetée à Hong Kong, au cas où.

Nous sommes partis le lendemain après l'aube, marchant d'un bon pas, nous inclinant pour passer sous des branches basses, enjambant des arbres couchés. Mei Bao avançait avec assurance, ne craignant manifestement pas de se perdre dans la forêt. Parfois, le sentier devenait plus étroit. Je me contentais de la suivre.

« Pourquoi faire ces voyages vous-même ? ai-je demandé. N'y a-t-il personne au village qui pourrait livrer à la ferme ce dont vous avez besoin ?

— Cela ne serait pas possible, a-t-elle répondu. Comme vous le savez, il n'est pas facile de nous trouver.

— Je vous ai trouvés.

— C'était votre destin.

— Vous croyez au destin ? »

Elle ne m'a pas répondu.

Plus tard, lorsque nous avons pu de nouveau marcher côte à côte et qu'elle ait ralenti le pas, je lui ai posé des questions sur elle, sur l'endroit d'où elle venait, sur la façon dont elle avait appris l'anglais.

Elle est d'abord restée silencieuse, se demandant peut-être jusqu'à quel point elle pouvait se confier à moi. Et puis elle s'est mise à parler d'une voix hésitante. « Je suis née à Hong Kong, et mes plus anciens souvenirs sont heureux. J'avais six ans lorsque l'immeuble où vivait ma famille a été la proie des flammes. C'était tard le soir. Lorsque tout le monde dormait, il m'arrivait parfois de sortir de mon lit et de jouer sur le sol. Lorsque le feu a éclaté, une poutre enflammée est tombée directement sur le lit que j'avais déserté », a-t-elle dit en touchant la cicatrice sur sa joue. « La poutre a également fracassé une fenêtre, ce qui m'a permis d'échapper aux flammes. Mes parents, mes frères et sœurs, nos voisins – tout le monde a péri. Tout le monde sauf moi. J'avais le sentiment de ne pas mériter d'être la seule survivante.

« Parce qu'il n'y avait plus personne pour s'occuper de moi, j'ai traîné dans les rues, j'ai mendié. Quelques personnes ont eu pitié de moi, mais en fin de compte elles n'ont pas voulu d'une petite fille balafrée. Finalement, la chance – ou le destin – m'a conduit jusqu'à la maison de Hua Chi. Je n'ai pas fait sa connaissance immédiatement. J'avais trouvé son jardin, une forêt de fleurs, qui m'a semblé être un bon endroit où me cacher la nuit. Le jour, je mendiais. Je retournais chaque soir dans le jardin pour dormir dans mon nouveau sanctuaire.

« De ma cachette, j'observais Hua Chi lorsqu'elle quittait la maison chaque matin et rentrait à la fin de la journée. Je n'ai pas révélé ma présence au début. J'avais peur qu'elle me gronde et m'interdise de dormir là.

« Plus tard, Hua Chi m'a dit qu'elle m'avait repérée dès le premier jour. Ses sens sont aiguisés. Ensuite, elle a commencé à me laisser des fruits sur une serviette blanche près de ma cachette. Au début, je croyais qu'elle nourrissait les oiseaux. Lorsque j'ai compris que ces fruits étaient pour moi, j'ai décidé de me montrer. Un jour, à son retour, elle m'a trouvée assise sur le pas de sa porte, l'attendant. Elle aime raconter cette histoire ; elle mentionne toujours que je repliais soigneusement la serviette. » Mei Bao semblait perdue dans ses souvenirs. Ses doigts bougeaient comme si elle repliait encore une fois cette serviette.

« Hua Chi m'a fait entrer. Elle m'a enseigné à vivre. Elle m'a envoyée dans des écoles où j'ai appris plusieurs langues – l'anglais, le français, l'allemand. J'étudiais avec zèle pour plaire à ma nouvelle mère.

« Elle m'a également encouragée à maîtriser plusieurs styles d'arts martiaux. Pour ma santé, disait-elle, mais je sentais qu'elle ne voulait pas que je sois exploitée. Lorsque j'ai eu 11 ans, elle m'a amenée ici. Et depuis, maître Ch'an est mon père. »

Soudain, Mei Bao est revenue au présent. Elle s'est tournée et a indiqué une zone ombragée. « Là – regardez. » J'ai aperçu deux yeux brillants et une silhouette noire comme la nuit qui sont aussitôt disparus.

« Une panthère, a-t-elle dit. Elle fait partie de nos Gardiens. » Après cela, j'ai regardé derrière moi à de nombreuses reprises.

Lorsque nous avons atteint les abords du village – plus tôt que je ne m'y attendais étant donné ma dernière expérience dans la forêt –, Mei Bao m'a demandé de l'attendre sous le couvert des arbres. Tout d'abord déçu, j'ai compris sa prudence et j'ai acquiescé. Il ne serait pas bon pour elle d'être vue avec un étranger. Même en ce lieu isolé, « les nouvelles du sentier » voyageaient vite et loin.

J'ai presque oublié de lui donner ma carte postale et un peu de monnaie, lui demandant de la poster à ma fille. Elle a hésité un instant, et puis a accepté. « J'écrirai quelque chose en chinois au-dessus de votre texte avant de la remettre au postier. Il sera ainsi moins probable qu'il remarque qu'elle est rédigée en anglais. »

Je n'ai pas eu à attendre très longtemps. Mei Bao est vite revenue, transportant des rouleaux de coton et de soie, ainsi que des fruits secs. J'ai placé ses achats dans un sac improvisé qu'elle m'a tendu. Elle avait pu poster ma carte postale sans problème.

Sur le chemin du retour, nous nous sommes arrêtés pour cueillir un peu de houx et quelques brins de hong hua pour le thé de maître Ch'an. Mei Bao savait où en trouver en balayant de la main la neige qui tapissait le sol de la forêt.

Nous progressions à un bon rythme le long du sentier enneigé lorsque j'ai entendu un bruit sourd, comme si un arbre était tombé. Levant les yeux, j'ai constaté avec horreur que c'était Meri Bao qui était tombée et qui roulait sur elle-même à côté du sentier. La dominant, se mouvant brusquement vers elle, j'ai vu le même ours gigantesque qui m'avait poussé à sauter au-dessus de la gorge.

22

Mei Bao est restée couchée sur le dos, fixant du regard l'ours qui levait une patte mortelle. Je me rappelle avoir alors foncé droit devant moi. J'ai entendu un cri féroce – le mien. Surpris, l'ours a reculé. J'ai cru entendre un gémissement et je suis allé au secours de Mei Bao. Elle avait une main posée sur la bouche – pour étouffer un gloussement!

« Mais qu'est-ce qui se passe ? Vous êtes blessée ?

— N-n-non, Dan. » Elle s'est mise à rire et a baissé la main. « Je vais très bien. Mais vous avez peut-être vexé Hong Hong. Il ne faisait que jouer avec moi.

— Hong Hong! Il a un nom ?

— Pourquoi murmurez-vous ? » Elle a ri encore plus fort, incapable d'ajouter un mot. J'ai entendu un grattement. Je me suis retourné et j'ai vu Hong Hong qui se frottait contre un arbre.

« Je vous en prie, ne lui faites plus peur », a dit Mei Bao en se remettant sur pied. « C'est un ours très gentil. Lui aussi est un Gardien de la forêt. Peu des animaux qui l'habitent sont apprivoisés, mais Hong Hong est très spécial pour nous. Il lui arrive souvent de s'approcher furtivement de moi, ou d'essayer de le faire, et il me pousse hors du sentier. Je suis si heureuse que vous ne lui ayez pas fait mal ! » J'avais peine à croire à ce qu'elle disait jusqu'à ce qu'elle tende la main pour gratter le cou de l'ours qui, placidement, s'est remis sur ses quatre pattes. « Dites-lui que vous êtes désolé, Dan ; il est très sensible. »

J'ai regardé son museau. « Allô, euh, désolé si je t'ai fait peur, Hong Hong. » J'ai tendu la main, me demandant si je la récupérerais. L'ours l'a reniflée bruyamment, a jeté un coup d'œil à Mei Bao, a grogné, et puis s'est enfoncé pesamment dans la forêt.

« Je crois que vous lui plaisez, a-t-elle dit. Vous avez été brave. Vous ne saviez pas qu'il était apprivoisé. Hong Hong peut rendre certaines personnes nerveuses.

— Sans blague ! », ai-je dit, me rappelant notre première rencontre.

Mei Bao a dit en riant : « Vous avez fait preuve de courage pour me sauver la vie. Je vous en suis reconnaissante. » Elle s'est inclinée devant moi.

« Cela me rappelle la fois où j'ai fait courir un taureau.

— Vraiment ? Comment avez-vous fait ?

— Facile. Je me suis mis à courir et le taureau m'a pris en chasse. »

Elle a encore ri. Le soleil semblait maintenant accroché juste au-dessus de notre tête. Elle l'a remarqué aussi. « Nous ferions mieux de nous hâter si nous voulons arriver à l'école avant le crépuscule. »

Une demi-heure plus tard, pendant que nous traversions les champs, seul un chat est venu nous accueillir avec un grand *miaou*. « Pouvez-vous traduire ? », ai-je demandé à Mei Bao.

Elle a répondu, dans un modeste trait d'esprit : « Je le pourrais s'il s'exprimait en mandarin, mais il ne parle que le cantonais. »

Ce soir-là, trop fatigué pour écrire, je me suis couché sans attendre. Mais le lendemain, pendant la pause matinale et la soirée, je me suis remis au travail pour tenter de développer ce que Socrate avait à dire à propos de la science et de la foi.

La science et la foi représentent deux visions du monde différentes qui expriment le paradoxe de deux vérités, l'une conventionnelle et l'autre transcendante – une vérité du corps et une vérité de l'âme. Si une idée peut être testée, elle entre dans le domaine de la science ; sinon, elle appartient au domaine de la foi. Les deux domaines sont dignes de respect, mais il ne faut pas les confondre. La science est devenue une méthode dominante pour explorer la réalité. La foi demeure une source d'inspiration et de réconfort pour de nombreux individus.

La science et la technologie peuvent mener à un avenir plus brillant, plus paisible. La foi nous amène à sublimer nos idéaux les plus élevés en matière d'amour et de service; elle révèle notre unité essentielle. Aux confins de l'exploration scientifique, nous nous retrouvons confrontés à des mystères qui se trouvent aux frontières de la foi. Lorsque la foi devient conscience de soi, lorsqu'elle permet de voir les limites de vieilles histoires, elle trouve une nouvelle résonance narrative avec la sagesse évolutive de l'humanité.

L'ensemble des constructions mentales ou des modèles durables qui nous ancrent dans une réalité consensuelle – incluant les notions religieuses ou métaphysiques à propos de Dieu, de l'âme, du paradis ou de la réincarnation – survivent parce qu'elles affirment comprendre et expliquer le mystère de la vie. Nous pouvons accepter ces idées comme étant des vérités révélées ou des métaphores, tout dépendant de nos valeurs et de nos besoins. Ou nous pouvons les rejeter. Que les théories scientifiques ou les actes de foi soient vrais peut être moins important que leur utilité. Apportent-ils réconfort ou clarté? Aident-ils à discerner des vérités supérieures, ou nous plongent-ils encore davantage dans l'illusion? Nous pouvons choisir ce que nous tenons pour vrai, mais nous ne pouvons pas décider pour les autres.

Ici, sur la ferme, où la vie était tellement simple et pratique, où je travaillais, m'entraînais, enseignais, mangeais et dormais –, il me semblait étrange d'articuler des concepts aussi nobles à propos de la nature et du sens de notre existence. Même si je rappelais à mes élèves de relier leur entraînement à la pratique de la vie, je me demandais : *Tout cela n'est-il qu'idées chimériques et spéculation philosophique ? Ou bien y a-t-il quelque chose qui m'échappe ? Ce travail d'écriture m'aidera-t-il à trouver la connaissance que je cherche, ou dois-je abandonner ma quête ?*

Ce soir-là, je me suis tourné et retourné sur ma couche. Lorsque j'ai entendu le chant du coq, je n'étais pas sûr d'avoir dormi. Pendant la journée, j'ai été tellement assailli par le doute que j'ai décidé de mettre mon journal de côté pendant quelques jours et de me replonger dans les notes de Soc, de les lire et relire. *Tu cherches un autre signe, Dan ?* me suis-je moqué de moi-même après une autre nuit de contemplation agitée.

Le soir suivant, j'ai décidé de ne pas me coucher, de rester rivé à ma table, jusqu'à ce que j'aie réellement tenté de répondre à ma propre question. Une phrase en particulier m'a sauté aux yeux : « Nous jouons comme si cela comptait. » *Comme si...*, ai-je pensé. Et je me suis mis à écrire.

Même d'un point de vue individuel, nous pouvons en tout temps percevoir le monde à partir de l'un de deux niveaux.

D'une perspective conventionnelle, appropriée dans le cadre de la vie quotidienne, nous vivons en tant que moi individuel – ce que nous percevons et ce qui arrive est réel et a de l'importance. Et d'une perspective transcendante, nous nous sentons plus libres et plus enthou-

siastes (ou excessivement heureux). Nous vivons comme si le monde et nous faisions partie d'un rêve fascinant. Chaque perspective apporte une expérience différente. Il y a un adage qui dit : « Deux hommes regardent à travers les barreaux de leur prison. L'un voit de la boue, l'autre des étoiles. »

Nous pouvons accéder à l'un ou l'autre de ces états de conscience en tout temps et en toute circonstance. Nous pouvons demeurer entièrement fonctionnels dans le monde conventionnel même si nous sommes sensibles à la vision transcendante que tous les praticiens religieux et spirituels cherchent.

J'ai relu ce que j'avais écrit et j'ai fait une courte pause avant d'être finalement prêt à revenir aux quatre paradoxes :

D'une perspective conventionnelle, ces quatre énoncés sont vrais :

1. Le temps passe.

2. Nous jouissons du libre arbitre et sommes responsables de nos choix.

3. Nous sommes (ou possédons) un moi intérieur.

4. La mort est réelle, inévitable et finale.

Ces quatre énoncés sont étayés par notre expérience de la vie quotidienne et la réalité consensuelle. D'une perspective transcendante, les quatre énoncés suivants sont également vrais :

1. *Le temps est une création humaine ; seul le présent éternel existe.*

2. *Nos choix sont prédéterminés par une chaîne de facteurs, intérieurs et extérieurs.*

3. *Un moi distinct et un moi intérieur n'existent pas – il n'y a qu'une seule et même Conscience qui brille à travers des milliards d'yeux.*

4. *La mort ne peut exister, car la Conscience unique n'est jamais née et, par conséquent, ne peut mourir.*

Ces quatre énoncés sont fondés sur une perspective élargie et sont appuyés par les prises de conscience et les témoignages de nombreux adeptes spirituels, moines, mystiques, philosophes et de plus en plus de scientifiques qui ont appréhendé ou du moins ont eu un aperçu d'un autre ordre de réalité.

Nous devons nous satisfaire de considérer les vérités transcendantes comme nous regardons les étoiles, ne les voyant clairement que de temps en temps. Pour percer les nuages et le brouillard, examinons de plus près les vérités conventionnelles et transcendantes des quatre paradoxes :

<u>*Le temps passe.*</u>

Le temps n'existe pas, il n'y a que le présent éternel.

Le temps est une création humaine que nous acceptons comme réelle. La trotteuse se déplace et les minutes passent – les heures, les jours, les années. À 10 heures, nous nous rappelons ce que nous avons fait à 9 heures. Nous parlons d'hier, d'aujourd'hui et de demain alors que le temps continue à filer, n'attendant personne. Les corps vieillissants – le nôtre et celui de ceux qui partagent notre vie – fournissent la preuve du temps qui passe.

D'un point de vue transcendant, seul le moment présent nous appartient. Tout le reste n'est que souvenirs, ce que nous appelons le passé, et qu'imagination, ce que nous appelons l'avenir. Mais le passé n'existe plus, et demain ne vient jamais.

Nous sommes assis dans un bateau qui flotte sur la rivière du temps. Sur la rive, quelqu'un voit la représentation conventionnelle d'une embarcation qui se déplace du passé au présent pour ensuite se diriger vers le futur – même si nous restons immobiles, dans le présent éternel.

Nous sommes libres de choisir.

Chacun de nos choix est déterminé par tout ce qui compose notre passé.

Chaque jour, nous faisons des choix qui sont limités par les circonstances. Avec chaque décision, nous faisons preuve de cette liberté de choisir que nous avons. Nous sommes par conséquent responsables

– d'une façon ou d'une autre – de nos choix, ainsi que de leurs conséquences morales et juridiques. La société humaine fonctionne plus harmonieusement lorsque nous acceptons cette réalité.

D'un point de vue transcendant, nos choix et nos actions apparaissent comme une conséquence naturelle et inévitable des forces historiques, génétiques et environnementales qui nous ont façonnés. Comme l'a dit un sage : chaque événement qui s'est produit, la naissance de chaque étoile, de chaque molécule, de toute vie évolutive ou action prise par quiconque a vécu nous a amenés dans le moment présent. Nous pouvons choisir ce que nous voulons – mais pouvons-nous choisir ce que nous choisirons ? Ou ce que nous pensons choisir découle-t-il de facteurs qui échappent à notre conscience ?

J'étais satisfait d'avoir su traduire le message de Soc, mais j'étais troublé par l'idée que nos choix soient prédéterminés. Si le libre arbitre n'était qu'une illusion, qu'en était-il de la responsabilité ?

J'ai pensé à des figures emblématiques de l'histoire – grands philosophes, traîtres et saints. *Avaient-ils choisi la voie qui les avait menés à la renommée, à l'infamie ou au martyre ? Pouvons-nous connaître ou choisir notre avenir ? Est-ce notre volonté qui nous pousse en avant, ou un mélange de destin et de chance façonne-t-il notre vie ?*

Avec ces pensées tourbillonnant dans mon esprit, j'ai continué à écrire.

Nous sommes <u>uniques</u>.

Nous sommes une et même Conscience.

Jamais un autre corps ne ressent notre douleur, ne pense nos pensées ni ne sent nos émotions. Donc, notre moi est distinct. Avec chaque malentendu, nous devenons plus conscients de notre unicité.

D'une perspective transcendante, le « je » est une illusion tenace. Des milliards de corps vivent chaque jour sans que la gouvernance d'un moi intérieur distinct soit nécessaire (ou même n'existe).

<u>La mort est réelle.</u>

<u>La vie est éternelle.</u>

L'individu qui a assisté au trépas de quelqu'un ou qui a vu le corps d'un défunt a observé la réalité de la mort. Le corps refroidit et finit par se décomposer. L'étincelle de vie qui brillait dans les yeux de ce corps s'est éteinte.

D'une perspective transcendante, les corps vivent et meurent et n'influent pas plus sur la Conscience qu'une feuille qui tombe n'influe sur l'arbre. Nous pouvons pleurer la perte que nous associons avec la mort du corps physique sans l'accepter comme l'unique vérité. Dans le présent éternel, même si des êtres chers quittent l'enveloppe de l'unicité, ils continuent à vivre dans notre mémoire et dans toutes les façons dont ils nous ont touchés au cours de leur existence à nos côtés.

Ce que nous associons au «je» va au-delà de la conscience telle que nous l'entendons générale-ment – le «je» est la Conscience qui n'est jamais née et qui ne mourra jamais. La mort du corps physique devient alors entièrement naturelle et acceptable. Les sages prennent la vie au jour le jour, et acceptent la mort en toute sérénité.

Nous pouvons comprendre cette notion maintenant, et puis l'oublier, et puis nous en rappeler. Et lorsque cette vérité transcendante refait surface et pénètre dans notre cœur, nous comprenons qui nous sommes vraiment – et nous accédons à la vie éternelle.

Le poète Lord Alfred Tennyson est arrivé à cette conclusion tôt dans la vie: «Depuis ma prime enfance, en me répétant mon nom à moi-même, silencieusement, l'intensité de la conscience de l'individualité semblait faire se dissoudre cette individualité et la faire s'évanouir dans l'être illimité; et ce n'était pas là un état confus, mais de la plus absolue netteté, de la plus complète certitude, absolument inexprimable; un état où la mort semblait être une risible impossibilité.»

J'étais fatigué de jongler avec des idées, anciennes et nouvelles, et je n'étais plus en état de réfléchir davantage, du moins ce soir-là. Je me suis rappelé quelque chose que Socrate m'avait déjà dit: «On ne peut pas vaincre la mort; on ne peut que réaliser *qui* nous sommes vraiment.» Je comprenais maintenant ce qu'il entendait par là. Mais quand même, je continuerais à pleurer la mort d'amis et d'êtres chers dans un état de conscience conventionnel. Mais je commençais également à comprendre qu'une telle perte n'était pas la seule vérité. Mes grands-parents étaient encore avec moi, ils vivaient dans ma mémoire, dans mon cœur, et dans toutes les façons dont ils m'avaient inspiré pendant le temps que nous avons passé ensemble.

23

Tout comme l'hiver, le printemps est arrivé rapidement. Hua Chi ne tarderait sûrement pas – si elle tenait sa promesse. J'ai recommencé à me sentir agité, conscient encore une fois que cette école, cette ferme, n'était qu'une étape de mon voyage et non ma destination finale.

Ce soir-là, j'ai veillé pour terminer mon travail d'écriture. Je ne m'attendais pas à le compléter si rapidement, mais j'avais pu transcrire la dernière section presque mot pour mot. Dans ce qui semblait être un moment de lucidité et une vague d'énergie, Socrate avait dû écrire d'une seule traite ce dernier passage dans un élan frénétique d'inspiration avant de cacher son journal dans la montagne.

Les deux états de conscience, conventionnel et transcendant, ont de la valeur. Si nous sommes incapables de trouver la paix dans notre vie quotidienne, nous ne la trouverons nulle part ailleurs. Aller au-delà de la mentalité conventionnelle n'est pas un acte de volonté, mais de mémoire. Lorsque nous avons fait l'expérience de la méditation profonde, il est plus facile de nous replonger dans cet état. Il en va de même lorsque nous avons goûté au transcendant.

Même dans des moments de conscience élevée, nous devons sortir les poubelles et faire la lessive. Donc, même au beau milieu de la vie quotidienne – alors que nous accomplissons nos tâches en fonction de ce qui nous a façonnés –, nous serions sages de vivre comme si le temps existait de manière à conserver un emploi du temps organisé. Vivons comme si nous faisions des choix conscients, de manière à en assumer la responsabilité. Vivons comme si un accident pouvait arriver de manière à demeurer vigilants. Vivons comme si nous étions des individus indépendants de manière à apprécier pleinement notre valeur innée et notre destin unique. Et vivons comme si la mort était réelle de manière à pouvoir apprécier la précieuse occasion qu'est la vie sur la planète Terre.

Avant de faire directement l'expérience des vérités transcendantes, demeurons ouverts à toutes les possibilités. Nous pouvons jeter un pont entre la conscience conventionnelle et la conscience transcendante chaque fois que nous nous souvenons de passer d'un état à l'autre, selon les besoins du moment. Entre-temps, nous devons rester fidèles aux principes du paradoxe, de l'humour et du changement, et reconnaître les illusions qui continuent à s'imposer dans la vie quotidienne.

Il n'est jamais facile de s'élever au-dessus des cir-constances et d'apprécier la perfection de la vie qui passe. Généralement, notre attention demeure, à juste titre, focalisée sur nos tâches quotidiennes. Mais de temps en temps, rappelons-nous notre sens de l'équilibre, de la perspective et de l'humour – les éléments essentiels de la sagesse.

Pénétrons dans le royaume de la chair et de l'esprit, et dans les vérités qui les animent. Nous sommes de retour à la maison.

Avec ces derniers mots, mon travail était terminé, mon rôle achevé, du moins pour l'instant. Je sentais que mes mots sonnaient juste, assis à cette petite table dans cette ferme cachée dans une forêt à l'autre bout du monde.

Lorsque j'ai relu mon texte – étonné de constater qu'il ne s'étalait que sur 20 pages manuscrites –, je n'ai pas eu le sentiment d'en être l'auteur, mais plutôt d'être le traducteur des idées de mon mentor.

Je me devais d'admettre que ma propre conscience, comme celle de la majorité des gens, se situait surtout sur le plan conventionnel. Mais également comme la plupart des gens, j'aspirais à m'élever, je rêvais d'une sorte de libération. D'une libération qui, je suppose, se trouve au cœur de toutes les quêtes religieuses et spirituelles. À part quelques aperçus et visions que Socrate avait autrefois rendus possibles, ou la pratique de la méditation ou autres rites psychédéliques ou mystiques, je n'avais aucun accès direct aux états transcendants auxquels il faisait référence, sauf par le biais d'une prise de conscience délibérée, d'un acte de mémoire.

Je savais que les philosophes, les physiciens et les psychologues sérieux avaient écrit avec un soin minutieux et parfois de façon très détaillée à propos de la nature du temps, du choix, du moi et de la mort, et ce à divers points de vue. Mais la compréhension que Soc avait du paradoxe – de la nature des vérités conventionnelles et transcendantes – était le premier modèle que j'avais trouvé pour concilier ces perspectives contradictoires de la réalité. Je ne pouvais qu'espérer que ces notions existentielles, telles que je les avais exprimées, pourraient influer sur la vie d'autres individus comme elles avaient influé sur la mienne. J'étais encore loin du but, mais j'avais maintenant un aperçu de ma destination.

———✳———

Deux jours plus tard, alors que le soleil disparaissait derrière la montagne, je suis entré dans le ruisseau et je me suis assis sous la cascade que Hua Chi et moi avions construite, laissant l'eau couler sur ma tête et mes épaules, nettoyant mon corps et mon esprit. À travers le rideau de gouttelettes, j'ai entendu un rire et la voix rauque de Chun Han.

Plus tard ce soir-là, nous nous sommes réunis pour célébrer l'arrivée du printemps. Il y avait partout des lanternes colorées, des feux d'artifice, des costumes somptueux et des acrobates – mes élèves. J'avais mis mon rôle d'entraîneur de côté. C'est sous la direction de Chun Han qu'ils virevoltaient dans les airs, encore et encore, libérés des chaînes de la gravité.

Un groupe de mes élèves m'a entraîné dans une danse endiablée. Leurs visages resplendissaient, les jeunes hommes et les jeunes femmes tournoyaient en chantant en boucle un air chinois, jusqu'à ce que je me perde dans les lumières et les rires, flottant sur le sol du pavillon où tout le monde semblait maintenant plus léger que l'air. Et puis, quelqu'un a chanté : « Rame, rame, rame dans ton bateau, paisiblement, le long de la rivière... »

Alors que je regagnais le calme de la grange au petit matin, je pouvais encore entendre les sons de la mandoline, de la flûte, du dotâr et du tambour qui s'élevaient vers la voûte céleste, vers une lune aussi brillante et jaune que le fromage de yack. Impulsivement, je me suis dirigé vers la cascade que j'appelais maintenant la chute de Chun Han afin de contempler une dernière fois les eaux vives éclairées par les lanternes et la lune.

J'avais une raison bien à moi de me réjouir, ayant terminé le travail d'écriture qui avait constitué la toile de fond de ma présence à la ferme, accomplissant quelque chose qui m'était apparu impossible quelques mois seulement auparavant lorsque j'avais pris connaissance de la lettre de Soc. J'avais le sentiment que la grande rivière du tao m'avait transporté comme une feuille sur ses flots mouvants.

Parfois, les courants de cette rivière avaient changé brusquement.

Le lendemain, après le repas du soir, je suis rentré dans mes quartiers avec l'intention de relire le journal de Socrate et le mien.

J'ai ouvert mon sac à dos, mais je ne les ai pas trouvés.
Perplexe, je l'ai vidé. J'ai cherché partout dans la grange.
Deux fois. Cela n'avait aucun sens, mais je devais me rendre
à l'évidence : le journal de Soc et le mien avaient disparu
sans laisser de traces.

24

J'aimerais pouvoir dire que ces mois d'entraînement et d'écriture m'avaient procuré un sentiment durable de détachement et préparé à accepter cette perte avec résignation. Mais cela m'apparaissait idéaliste et au-dessus de mes forces. Pendant que je me faisais des reproches – *Pourquoi n'ai-je pas photocopié le journal de Soc à Hong Kong lorsque j'en ai eu l'occasion ? Pourquoi n'ai-je pas pensé à recopier à la main chaque page que j'ai écrite ?* –, un flot d'émotions et d'adrénaline a envahi mon corps.

Je ne les ai probablement pas placés au bon endroit, ai-je pensé. Cela a donné lieu à une autre ronde de recherche frénétique (et vaine). *Peut-être que j'ai été somnambule et que je les ai laissés quelque part.* Non, j'avais vu les journaux le matin même. Je comprenais maintenant comment Socrate s'était senti lorsqu'il était sorti de son état fiévreux sans son journal et sans souvenir de l'endroit où il l'avait caché.

Qui a pu les prendre? me suis-je demandé. Cela ne faisait aucun sens. Personne à la ferme n'avait de raison de les voler ; de toute manière, personne ne connaissait leur existence. Personne, sauf Mei Bao, n'aurait pu les lire. Et si elle l'avait voulu, elle n'aurait eu qu'à me le demander. Je me suis représenté son visage, ainsi que celui de Chun Han, de maître Ch'an et de mes élèves. Cet exercice m'a calmé. La panique et la colère, après avoir atteint un paroxysme, m'ont quitté. Mon corps s'est détendu, tout comme mon esprit. Finalement, j'ai accepté la réalité. Les journaux n'étaient pas ici. J'ignorais où ils se trouvaient. Rien ne se produirait pendant la nuit. Je me suis donc laissé aller dans les bras de Morphée.

Le lendemain matin, alors que j'étais à la recherche de Mei Bao, je me suis arrêté pile en voyant une silhouette familière, une femme aux cheveux striés de gris et en sur-vêtement, gravir les marches menant à la grande maison. « Hua Chi ! », ai-je crié en me précipitant vers elle.

Elle s'est tournée vers moi en souriant. « Quel accueil enthousiaste et typiquement américain ! », a-t-elle dit. Entendant ces mots, je me suis immobilisé et je me suis incliné pour la saluer. Elle a posé un long regard approba-teur sur moi. « Vous avez bonne mine, Dan. Si cela n'avait été des gelées, je serais venue plus tôt. Nous partirons dans quelques jours.

— Hua Chi, je dois vous dire…

— Nous parlerons bientôt, Dan. Je ne doute pas que vous ayez beaucoup de choses à me dire, mais je dois d'abord aller présenter mes hommages à mon frère et à Mei Bao. »

Ne se laissant pas détourner de son objectif, Hua Chi est rapidement disparue derrière le rideau de perles où se trouvaient les personnes qui pourraient peut-être apporter des réponses à mes questions. C'est à contrecœur que je suis allé rejoindre mes camarades pour effectuer mes corvées matinales. Je n'étais pas sûr de ce que je dirais en premier lieu à Hua Chi étant donné tout ce qui s'était passé depuis mon arrivée à la ferme. Mais il était certain que je lui parlerais de la disparition des journaux.

J'avais tenté de me convaincre que la perte du journal de Soc et de mon carnet n'avait finalement pas d'importance. La Terre n'arrêterait pas de tourner – seul mon monde s'effondrait et mes buts s'évanouissaient. L'événement en lui-même, les journaux manquants, n'était qu'un fait. C'était ma réaction devant cette perte qui me préoccupait.

Après les travaux dans les champs et le repas du matin, Hua Chi est venue me rejoindre et m'a invité à faire une promenade autour de la ferme. Alors que nous longions l'orée de la forêt, elle a dit : « Mon frère et Mei Bao sont satisfaits de vous, tant comme élève que comme professeur. Quoi qu'il arrive à l'avenir, vous aurez apporté votre contribution. »

J'ai parlé plus rapidement que j'en avais l'intention : « Je suis heureux d'entendre ça, Hua Chi, et je suis ravi de vous voir. Vous vous rappelez sans doute que, à Hong Kong, je vous ai parlé d'un journal que j'avais trouvé. J'en ai rédigé une version plus longue – un travail considérable –, mais le journal original et mon carnet se sont volatilisés. Je ne comprends pas…

— Oh!, ne vous en faites pas avec ça », a-t-elle dit avec un geste désinvolte de la main. « Ils sont en sécurité. Entre bonnes mains. Je n'ai fait que les emprunter. »

J'ai figé sur place, au bout d'un champ ensemencé récemment. Hua Chi s'est également immobilisée, comme si elle admirait le travail des ouvriers. Comme si j'avais des œillères, je me sentais incapable d'admirer quoi ce que soit, de voir ce qui se passait autour de moi. Après avoir entendu son explication, je me sentais soulagé, furieux, mystifié – j'étais sans voix. Mais cela n'a pas duré longtemps. « Vous avez fait *quoi?* », ai-je dit. Mais pourquoi? Quand aviez-vous l'intention de me le dire?

— Oh!, j'ai cru qu'il valait mieux voir ce qui se passait d'abord. »

Quelle sorte d'énigme était-ce là? Papa Joe s'était-il métamorphosé pour adopter ses traits? Au point où j'en étais, cela ne m'aurait pas étonné. Rien n'aurait pu m'étonner. J'ai à peine pu prononcer ces quelques mots: « Expliquez-moi. Je vous en prie. »

Hua Chi a haussé les épaules avec amabilité, détendue comme d'habitude et, reprenant la direction du réfectoire, elle a dit: « Il y a plusieurs mois, devant une tasse de thé, Dan, vous avez parlé d'un journal – et vous avez mentionné que quelqu'un était à sa recherche.

— Oui, je m'en souviens.

— Et vous rappelez-vous m'avoir donné un bout de papier sur lequel étaient inscrits le nom d'une femme et son numéro de téléphone?

— Oui, mais qu'est-ce que cela a à voir avec…

— J'ai composé ce numéro quelques jours plus tard et j'ai parlé à cette femme, Ama. Sa voix dégageait à la fois force et gentillesse. Je lui ai dit que vous aviez trouvé le journal. Elle a semblé sincèrement contente, et même ravie pour vous. Je me suis donc présentée et je lui ai raconté dans quelles circonstances nous avions fait connaissance et comment j'avais préparé votre voyage. Elle m'a remerciée en me disant au revoir.

— Je vous remercie. Mais je ne vois toujours pas…

— Environ 10 jours plus tard, pendant ma séance matinale de taï-chi dans le parc, j'ai remarqué qu'un homme observait notre groupe en se tenant à une distance respectueuse. Il avait une formation en arts martiaux; je pouvais le dire uniquement à sa posture. Lorsque nous avons achevé notre programme d'exercices, il nous a demandé si nous connaissions une femme appelée Hua Chi. Je lui ai dit que je la connaissais plutôt bien et je lui ai demandé pourquoi il s'intéressait à elle – on n'est jamais trop prudents. »

Nous sommes entrés dans le réfectoire et nous sommes assis dans un coin tranquille, près de la sortie, afin de poursuivre notre conversation. « Il s'est trouvé que c'était l'homme contre qui vous m'avez mise en garde – avec raison, je crois. Il m'a dit qu'il était déterminé à trouver l'homme qui avait le journal en sa possession, à faire tout ce qu'il faudrait pour mettre la main sur lui. Il semblait persuadé que "cette femme appelée Hua Chi" était le chaînon manquant qui lui permettrait d'accomplir sa mission.

Donc, continuant mon petit jeu, je lui ai dit que je pourrais organiser une rencontre le lendemain matin. Tôt. Dans le parc, avant notre séance de taï-chi.

Nous sommes allés remplir notre assiette et notre bol de légumes et de porridge – c'était le menu habituel. Nous sommes retournés à notre place. Hua Chi a posé son repas sur la table et a poursuivi : « Il n'a paru que légèrement surpris de me trouver là, seule. Je crois qu'il m'avait démasquée dès le départ. Nous avons discuté. J'ai pris une décision dont l'issue reste à être positive.

— Cela a-t-il un lien avec le fait que je lui donne mes journaux ? ai-je demandé.

— C'est probable, a-t-elle répondu. Mais ce n'est pas à moi de vous répondre. Voyez-vous, il a demandé à vous parler directement.

— Ah, très bien, ai-je dit non sans sarcasme, vous n'aurez qu'à me donner son numéro de téléphone lorsque nous serons rentrés à Hong Kong.

— Oh ! cela ne sera pas nécessaire, a-t-elle dit, en pointant le doigt par-dessus mon épaule. Il m'a accompagnée jusqu'ici. »

Je me suis tourné pour découvrir dans l'embrasure de la porte l'homme que je connaissais comme Pájaro. Il avait mes journaux entre les mains.

Hua Chi s'est levée et nous a laissés seuls. Elle n'avait pas touché à son repas.

25

Pájaro portait un vieux jean, un tee-shirt et une casquette ornée d'une étoile rouge, identique à la
mienne. Nos yeux se sont croisés, mais il n'a pas
soutenu mon regard. Il est resté immobile, comme s'il
attendait ma permission pour s'avancer dans la pièce.
Lorsqu'il s'est finalement approché, il a posé le journal et
mon carnet sur la table, et il s'est assis en face de moi, à la
place laissée libre par Hua Chi. Les yeux toujours baissés,
il a dit: « Je suis désolé pour les ennuis que je vous ai causés,
Dan.

— Vous avez lu les journaux », ai-je dit, sur le qui-vive
à cause de notre dernière rencontre.

Il a hoché la tête, et puis a dit d'une voix douce: « J'ai
d'abord lu les notes écrites par votre professeur. Elles n'ont
trouvé un sens qu'après avoir lu votre... traduction. » Il a fait
une pause, comme s'il fouillait dans sa mémoire. « Si je vous
avais dérobé le vrai journal, je n'y aurais rien compris. » Il a

ensuite ajouté : « Je regrette de vous avoir frappé. Sur le moment, je n'ai pas vu d'autre solution... »

Alors que les questions se bousculaient dans ma tête, Pájaro a levé les yeux. Pour la première fois, nous avons établi un réel contact visuel. « Je ne sais pas comment vous remercier – ni comment me faire pardonner. »

J'ai dit la première chose qui m'est venue à l'esprit : « Eh bien, vous m'avez laissé cinq dollars. »

Nous avons échangé un sourire. Et c'est ainsi que j'ai partagé un repas avec l'homme qui m'avait poursuivi à travers le monde et qui, avais-je cru, avait l'intention de me faire du mal s'il me retrouvait. Pendant que mes élèves nous observaient de loin, timides, mais toujours curieux, Pájaro m'a expliqué ce qui l'avait poussé à agir comme il l'avait fait.

« Il y a 30 ans, mon père se rendait au travail lorsqu'il a vu un homme qui avançait en titubant le long de la route... »

Je l'ai interrompu. « Pájaro, je sais que votre père a fait monter Socrate et l'a conduit à l'infirmerie. Je suis également au courant de la maladie de votre père et de son décès... »

Perplexe, il a demandé : « Comment avez-vous...

— Peu après mon arrivée à Albuquerque, ai-je dit, j'ai retrouvé une enseignante appelée Ama. Son père, le médecin qui a soigné Socrate, lui avait raconté une histoire de nombreuses années auparavant, une histoire à propos d'un jardinier qui lui demandait des conseils, et qui cherchait un journal. Je l'ai aidée à se rappeler cette histoire. Je peux donc comprendre la quête désespérée de votre père. Mais vous, pourquoi, après toutes ces années ? Et comment connaissiez-vous mon existence ?

« Après la mort de mon père, a-t-il dit, j'ai été recueilli par une tante qui m'a permis de loger dans une pièce à l'arrière de sa maison et de piller son frigo en échange de menus travaux. J'ai grandi sans véritable encadrement – j'ai appris les techniques de survie, j'ai appris à pister et à chasser. Je nettoyais les toilettes et les tatamis dans une école de karaté en échange de cours. Je me débrouillais bien dans les sports, mais je passais la majeure partie de mon temps seul, à me préparer.

— À quoi ?

— À accomplir la mission de mon père – cela me donnait un but, je suppose. J'avais fait le serment de ne pas mourir comme lui. J'en étais venu à croire que si je trouvais le journal, je ne mourrais jamais… »

Il a secoué la tête. « Je ne sais pas à quoi je pensais. S'ingénier à trouver l'immortalité physique serait parfaitement sensé si les gens cessaient de faire des enfants. Mais dans l'état actuel des choses, si un tel secret était découvert, seuls les riches y auraient accès, sinon le monde deviendrait chaotique et surpeuplé. »

Il a raison, ai-je pensé. *Il arrive un temps où les gens âgés doivent mourir, et être remplacés – c'est la règle, comme aurait dit Soc. L'amour de la vie est une chose. La peur de la mort en est une autre.*

« Mais cela n'explique pas comment vous m'avez suivi et trouvé – ni comment vous avez trouvé Hua Chi.

— Ama, la femme que vous avez rencontrée. Elle m'a parlé de vous – elle m'a dit tout ce qu'il me fallait savoir. »

J'ai été parcouru d'un frisson. Ma gorge s'est serrée, envahie par un goût amer, métallique. Il fallait que je lui pose cette question : « Avez-vous dû la contraindre à parler, ou a-t-elle été heureuse de tout vous dire ? »

Il a souri et a balayé mes inquiétudes d'un geste de la main. « Rien de tout ça, Dan. Je connais Ama depuis des années. Elle ignore que je suis le fils du jardinier. Pour elle, je ne suis qu'un ami et un confident. »

J'ai écarquillé les yeux. « Oh mon Dieu ! – *Vous êtes Joe Loup Pisteur ?* » J'étais en état de choc. Pourquoi n'avais-je pas fait le lien ? Et Ama n'avait pas pu le faire non plus puisqu'elle ne s'était rappelé l'histoire du fils du jardinier qu'après avoir été hypnotisée.

Joe Loup Pisteur, alias Pájaro, a poursuivi : « Quinze ans après la mort de mon père, j'ai grossi les rangs de la police locale. J'ai utilisé une excuse légale pour avoir accès aux archives de l'infirmerie et j'ai trouvé le nom du médecin qui avait autrefois soigné le mystérieux étranger. Le père d'Ama. Il était décédé, mais j'ai trouvé sa fille…

« Il m'a fallu des années pour gagner sa confiance. Elle ignorait que je cherchais le journal. À ses yeux, j'étais uniquement quelqu'un qui savait écouter. Après votre passage à l'école, elle m'a téléphoné. Elle m'a parlé de vous – une information parmi d'autres, le genre de nouvelles que nous échangeons parfois…»

Je me suis rappelé avoir entendu dire qu'il n'y a que deux sortes d'histoires : *soit un étranger arrive en ville, soit quelqu'un s'engage dans une quête. Mon histoire entrait dans les deux catégories*, ai-je réalisé. Ama avait parlé de moi, l'étranger, à son ami. Et cette histoire devenait de plus en plus étrange…

Tentant toujours de comprendre, je n'ai pu m'empêcher de demander : «Votre relation avec Ama – était-ce uniquement à cause du journal?

— Oui, au début. Mais avec le temps…» Et puis, lorsqu'il a compris pourquoi je lui posais cette question, son visage s'est éclairé d'un sourire. «Ama et moi sommes de bons amis, Dan. Cela n'a rien à voir avec ce que vous pensez. En fait, à cet égard, Ama préfère la compagnie des femmes.»

J'ai eu envie de me frapper le front. *Et voilà pour mon sens de l'observation!*

Joe Loup Pisteur a poursuivi en expliquant comment, au moyen de puissantes jumelles, il m'avait observé à la station-service. *Bon, encore une station-service!* ai-je pensé. Il avait pris les devants, caché son véhicule et m'avait attendu sur le bord de la route – Pájaro l'autostoppeur, l'homme d'affaires et le guide du désert. Il avait eu l'intention de me suivre jusqu'à ce que je trouve le journal, mais lorsqu'il avait aperçu Papa Joe à l'intérieur du café, il avait compris que c'était trop risqué. «Il est le plus vieil ami d'Ama, et nous nous étions déjà rencontrés. Il aurait pu reconnaître ma voix – ou mon odeur.

— Aveugle comme une taupe, rusé comme un renard », ai-je dit, m'adressant surtout à moi-même.

Joe Loup Pisteur a encore souri. « Vous l'avez bien cerné. »

Et puis, plus sérieusement, il a baissé la tête, l'air d'un gamin perdu : « Je ne suis pas une mauvaise personne, Dan. Mettre la main sur ce journal était un acte de désespoir, l'ambition de toute une vie. J'ai vécu le rêve de mon père si longtemps que je n'ai jamais rêvé pour moi. Et maintenant, je ne sais vraiment pas quoi faire. »

Désemparé, je me suis demandé ce que je pourrais bien dire à cet homme pour l'aider. « Eh bien », ai-je commencé en supposant que nous rentrerions tous les deux à Hong Kong en compagnie de Hua Chi, « vous pourriez rester ici quelques jours. Vous pourriez nous donner un coup de main dans les champs. »

Secouant la tête, il a dit : « Non, je ne peux pas accepter l'hospitalité de ces gens. Pas encore. Je ne l'ai pas méritée. Je vais m'installer dans la forêt pendant quelques jours. Il faut que je réfléchisse – à ce que vous avez écrit. Cela m'a ouvert les yeux et l'esprit, toujours un peu plus avec chaque lecture. J'aurais aimé que mon père voie ça. »

Il serait mort quand même, ai-je pensé, – comme nous mourrons tous, peu importe nos croyances ou notre philosophie. Nous cheminons tous en direction de Samarra…

Avant que je puisse dire autre chose à Joe Loup Pisteur, il s'est levé et a pris congé. J'ai soudain remarqué que, sans doute affamé, il n'avait tout de même rien mangé.

26

Ayant maintenant récupéré les journaux, j'ai continué à m'interroger sur le fil des événements jusqu'à ce que Hua Chi me rejoigne au moment où je me dirigeais vers le pavillon pour donner l'un de mes derniers cours de gymnastique. « Mon frère ne tarit pas d'éloges sur vous, a-t-elle dit. Pas uniquement pour le sérieux dont vous avez fait preuve dans l'apprentissage du taï-chi, mais aussi pour vos talents d'entraîneur. Vous avez inspiré vos élèves. »

Cela faisait plaisir à entendre étant donné que maître Ch'an n'avait jamais manifesté son appréciation. J'ai dit : « Cela a été une occasion merveilleuse. J'aurais seulement souhaité…

— Quoi ?

— J'aurais aimé travailler avec lui plus directement, mais je comprends que la barrière de la langue rend les choses difficiles…

— Sans Mei Bao, a-t-elle ajouté.

— Bien sûr. Que ferait votre frère sans son aide ? »

Hua Chi a laissé échapper un petit rire. « C'est vrai, mais pas comme vous le pensez.

— Quoi ?

— Mon frère est effectivement un maître – un maître jardinier et un maître fermier. Il a étudié les arts martiaux lorsqu'il était dans la vingtaine, mais il a vite compris que ce n'était pas sa véritable vocation. Il est l'ossature de cet endroit, et il en est aussi le sang. Mais l'âme, eh bien – Mei Bao vous a-t-elle raconté comment nous nous sommes rencontrées ?

— Oui.

— Mais elle est trop modeste. Vous a-t-elle dit à quel point elle a rapidement maîtrisé les mouvements du taï-chi, à quel point elle m'a largement surpassée avant même d'avoir 18 ans ?

— Vraiment ? Je n'en savais rien.

— Mon frère et moi avons eu l'idée d'accueillir des orphelins talentueux pour nous aider à construire une ferme autosuffisante. Ce n'est qu'après son arrivée ici que Mei Bao a découvert en elle un désir de partager ses dons avec les autres. D'enseigner. Et c'est ainsi que l'école a pris forme. Après son arrivée, même la forêt a changé. »

À l'entrée du pavillon, Hua Chi a dit : « Mon frère est aussi dévoué envers Mei Bao qu'elle l'est envers lui. Cela ne m'étonne pas qu'elle le considère comme la source de sa sagesse. Mais ne vous méprenez pas : c'est Mei Bao qui est le maître de la forêt de Taishan. »

La journée avait été pleine de révélations, et j'en avais encore le vertige.

Comme nous entrions dans le pavillon, Hua Chi a ajouté : « Votre professeur, Socrate, vous a demandé de trouver une école cachée.

— Oui, mais il n'a pas précisé où. Donc, j'étais en route vers le Japon…

— Je me demandais s'il vous avait dit d'étudier dans une école cachée.

— Qu'aurait-il voulu dire d'autre ? »

Hua Chi a souri et est allée rejoindre Mei Bao et maître Ch'an qui étaient venus observer ce qui serait mon dernier cours de gymnastique dans la forêt de Taishan.

Pendant la séance, j'ai aperçu Joe Loup Pisteur qui nous regardait de sous le couvert des arbres. Hua Chi l'avait sans doute remarqué elle aussi. Ce soir-là, j'ai repensé à lui. *Mon premier lecteur.* Avant de montrer le journal à qui que ce soit d'autre, j'ai décidé de le relire encore une fois.

Très tard, à la lumière de la lampe, au moment où je lisais les dernières phrases, je me suis senti libéré d'un poids. J'ai eu le sentiment que Socrate aurait approuvé mon œuvre. J'espérais pouvoir lui en parler bientôt, et lui montrer ce que j'avais écrit. Il ne pouvait pas le savoir à l'époque, ni moi d'ailleurs, mais cette collaboration entre nous avait marqué le début de ma vie d'écrivain.

En cours de route, j'avais appris que la lecture était une façon d'assimiler des idées, et que l'écriture en était nettement une autre. Mes efforts créatifs pour décoder les notes de Soc m'avaient apporté une compréhension plus profonde. Mais c'est à peine si je l'avais compris. Comme me l'avait déjà dit Soc : « Seule l'expérience mène à la prise de conscience. » Il fallait que je me rende à l'évidence : les idées que j'avais exprimées ne m'avaient pas encore tout à fait pénétré. Cela demeurait encore des slogans, des mots sur une page, des pensées dans ma tête, des notions et des idées. Mais c'était également des graines qui germeraient en temps et lieu. Pour l'instant, je ne pouvais qu'accepter ma réalité actuelle et attendre que tout mûrisse en moi.

Sur cette conclusion, je me suis couché au petit matin. Allongé, j'ai pensé que, parfois, la vie tenait davantage à une comédie improvisée qu'à une planification stratégique. J'ignorais ce que me réservait l'avenir. Comme on peut le lire dans la deuxième épître aux Corinthiens, je cheminais « dans la foi, non dans la claire vision », à la manière de Papa Joe.

27

L e lendemain matin, alors que je travaillais aux champs, j'ai vu deux étrangers sortir de la forêt – des hommes âgés, vêtus de tuniques grises à col haut, sales et usées. Le visage sérieux, ils ont balayé du regard les champs et les bâtiments. Deux autres hommes les ont rejoints. Ils portaient une tenue militaire et transportaient chacun une carabine Kalashnikov. La cloche qui annonçait le repas du midi sonnait sans arrêt derrière moi.

Je me suis tourné et j'ai vu Mei Bao qui approchait en compagnie de maître Ch'an. Hua Chi et les autres élèves suivaient. J'avais été occupé à creuser une tranchée et j'avais encore ma pelle à la main.

Les deux soldats pointaient leur arme vers nous, prêts à tirer. L'un des hommes âgés a parlé d'une voix forte – comme s'il avait autorité sur nous tous. Mei Bao, qui était maintenant debout derrière moi, a traduit ses paroles en murmurant : « Le Comité central prolétarien de

Heilongjiang a appris l'existence de cette ferme-école non autorisée...» – Mei Bao a fait une pause – «qui forme des espions.» C'était la première fois que je la voyais perdre contenance.

Le vieil homme a passé notre groupe en revue jusqu'à ce que ses yeux s'arrêtent sur moi. Il a repris la parole, Mei Bao traduisant à voix basse. «J'en vois la preuve», a-t-il dit en me montrant du doigt. «Un chien impérialiste [nous y voilà!] est ici pour former des agents à la solde d'un gouvernement étranger. J'exige de voir son visa, mais je suppose que je ne le trouverai pas.»

C'est alors que Hua Chi s'est avancée. (Mei Bao continuait à traduire.) «Ce visiteur est un professeur de gymnastique, rien de plus, a-t-elle dit. J'ai ses papiers. Ils l'autorisent à faire un bref séjour ici afin d'aider ces orphelins à apprendre une technique qui pourrait être bénéfique à la culture du peuple. La personne qui vous a dit qu'il y avait des agents secrets ici est mal informée ou bien elle trompe le gouvernement du peuple.

— C'est une accusation sérieuse», a dit l'homme qui avait baissé le ton pendant que Hua Chi s'approchait de lui. «Il n'en reste pas moins, a-t-il poursuivi, qu'au lieu de chercher la bonne attitude et de contribuer au bien commun, toutes les personnes ici présentes se sont isolées de leurs compatriotes, stockant égoïstement des provisions et ne partageant pas les récoltes avec le peuple. Où sont vos permis d'exploitation agricole et d'enseignement? a-t-il crié. Vous auriez peut-être pu pouvoir continuer secrètement à mener cette vie dépravée si vous n'aviez pas fait la bêtise d'amener un étranger ici. »

Mei Bao a semblé un peu réticente à traduire cette dernière phrase. *C'est ma faute*, ai-je pensé, horrifié. *Quelqu'un a dû me voir lorsque j'ai accompagné Mei Bao au village.*

C'est alors qu'un cinquième homme, plus jeune, est sorti de la forêt. Il portait lui aussi l'uniforme maoïste. Il semblait être en colère, mais j'ai aussi senti autre chose. De la peur ? De la honte ?

«Chang Li», a murmuré Mei Bao. *L'élève qui s'est enfui*, me suis-je rappelé. Elle a secoué la tête avec tristesse. « Il a dû les conduire jusqu'ici. »

L'homme âgé a fait signe à Chang Li de s'approcher et il a posé les mains sur les épaules du garçon. « Vous constaterez que, grâce à l'héroïsme de ce jeune leader prolétarien, nous savons ce que vous manigancez. Vous ne pouvez pas vous cacher ici plus longtemps ! » Il a fait un geste en direction des hommes armés qui ont fait un pas en avant. « Je suis ici pour prendre temporairement la direction de cette ferme communautaire qui, à partir de maintenant, est transformée en camp de redressement. D'autres ouvriers arriveront bientôt. Les jeunes travailleurs resteront. Le travail de la ferme se fera comme avant, mais cette "école", comme vous l'appelez, n'a pas sa place dans la République populaire. »

J'ai senti que Mei Bao trouvait difficile de répéter ces mots, mais elle a continué à le faire jusqu'à ce que le porte-parole pointe le doigt vers maître Ch'an, Hua Chi, Mei Bao et moi.

« Vous quatre, a-t-il dit, vous revenez avec nous au village de Taishan. Vous irez ensuite à Beijing où vous serez interrogés et jugés. Si vous êtes déclarés coupables, vous serez conduits dans une maison de détention. Si votre erreur est imputable à un manque de jugement politique, vous pourrez retourner dans la société une fois votre réhabilitation terminée. Mais pour ce qui est de l'étranger, papiers ou pas, il sera… »

Du coin de l'œil, j'ai vu maître Ch'an tomber sur les genoux. Je l'ai regardé fixement, incrédule, pendant qu'il se traînait sur le sol. Mei Bao s'est précipitée pour aider le vieil homme défait à se relever lentement devant le leader. Hua Chi, qui semblait tout à coup vieille elle aussi, s'est appuyée sur Chun Han et s'est dirigée en boitant vers le groupe d'hommes. Les soldats armés ont eu l'air confus ; ils ont légèrement levé leur arme…

Trop tard. Mei Bao s'est déplacée avec la vitesse de l'éclair. Elle a dû frapper l'un des soldats à la poitrine ; je l'ai vu voler dans les airs. Il s'est écrasé violemment contre un tronc d'arbre et a glissé sur le sol. Chun Han a couru vers lui. À peu près au même moment, maître Ch'an et Hua Chi ont mis l'autre soldat hors d'état de nuire en l'assommant.

Un troisième soldat est sorti de la forêt, a levé sa Kalashnikov et a mis Hua Chi et son frère en joue. Et puis, deux choses sont arrivées simultanément : Chun Han a fait un bond en avant pour protéger Ch'an et Hua Chi. Et Joe Loup Pisteur a surgi de nulle part et a asséné un coup de pied sur le dos du soldat, l'envoyant rouler par terre et lui faisant rater sa cible. Joe l'a cloué au sol avec un genou et l'a frappé à l'arrière de la tête avec une pierre, lui faisant perdre connaissance. Pendant un moment, il a semblé qu'il allait encore frapper. Mais il a levé les yeux et son regard a croisé le mien. Il a lâché la pierre.

28

La situation avait radicalement changé pour les autorités, les soldats et Chang Li qui nous avait trahis. Les deux hommes âgés se sont mis à parler en même temps en postillonnant. Alors qu'ils monopolisaient l'attention des élèves, j'ai regardé vers la ferme. J'ai compris que c'était le début de la fin.

J'ai vu Chun Han qui, agenouillé, pressait ses côtes des deux mains. Lorsque je me suis approché de lui, il a tendu les mains vers moi, comme pour me saluer. Elles étaient couvertes de sang. La balle perdue s'était logée dans son abdomen.

Mei Bao est arrivée à ses côtés en même temps que moi. Elle s'est mise à le bercer, le visage tordu de chagrin.

«Chun Han!» Mais il ne nous a pas répondu. Il ne nous répondrait plus jamais.

Un par un, les élèves ont compris ce qui se passait. L'un après l'autre, ils se sont mis à pleurer, comme si un voile de chagrin les enveloppait tous. Du coin de l'œil, j'ai vu Joe Loup Pisteur tendre une arme à Hua Chi et ils se sont tous deux dirigés vers les autorités.

Je savais que j'aurais dû faire quelque chose, mais j'étais incapable de bouger. Quelques minutes auparavant seulement, je travaillais paisiblement dans les champs et j'avais fait signe de loin à Chun Han. Le gentil Chun Han, mon ami depuis le début.

J'ai eu vaguement conscience, perdu que j'étais dans mes souvenirs et les regrets, que maître Ch'an se mêlait aux élèves, pressant une épaule, prononçant des paroles apaisantes. Ensuite, suivant maître Ch'an, les élèves ont entouré les autorités et le misérable Chang Li, et ont traîné les soldats inconscients dans le cercle. Les élèves entouraient maintenant les représentants de la République populaire de Chine.

Mei Bao donnait des directives à un autre groupe d'élèves pendant qu'ils soulevaient le corps de Chun Han et se dirigeaient vers la grande maison. J'ai regardé dans la direction de Joe Loup Pisteur. Ne quittant pas la forêt des yeux, une arme à la main, il suivait notre petit groupe et celui des élèves qui encerclaient les autorités.

J'ai appris plus tard que les intrus avaient été enfermés dans un hangar. Hua Chi m'a dit que leur porte-parole avait promis des « conséquences sérieuses » si on ne leur permettait pas de partir et de transmettre leur rapport au comité. Joe a insisté pour tenir le rôle de vigile à l'extérieur jusqu'à ce que maître Ch'an et les autres décident·de leur sort.

Je me suis assis à côté de lui. Il avait trouvé un but adapté à son expérience. J'ai soudain eu le sentiment que c'était moi l'étranger. Je savais qu'avant de quitter l'école, l'école me quitterait.

29

Ce soir-là, Mei Bao et Hua Chi ont lavé et vêtu le corps de Chun Han. Les élèves avancés ont agi comme porteurs et ont transporté les restes de leur ami jusqu'à l'extrémité d'un étang aux eaux cristallines, ombragé par une verdure abondante. Après une courte cérémonie, nous l'avons enterré. Son lieu de repos n'a pas été marqué, il est resté caché comme l'école l'avait été. Ainsi, il ne serait pas dérangé.

Plus tard, tous les élèves ayant regagné leurs quartiers, Hua Chi m'a invité à aller rejoindre maître Ch'an et Mei Bao dans la grande maison. Pendant qu'ils échangeaient des anecdotes à propos de Chun Han, j'ai eu le sentiment que je le verrais à côté de moi si je me tournais.

J'ai entendu quelqu'un dire mon nom. Mei Bao me parlait, mais elle semblait très loin : « ... Avec ou sans votre présence ici, ces hommes seraient venus. »

Hua Chi a ajouté : « Mei Bao et mon frère avaient prévu cette possibilité. Ils s'y attendaient même un peu, car Mei Bao avait remarqué que quelqu'un l'observait la dernière fois qu'elle s'est rendue au village de Taishan.

— On a dû me voir », ai-je dit d'une voix faible.

Hua Chi a posé une main sur mon épaule. « Cela n'a rien à voir avec vous, Dan ! Quelques mois avant votre arrivée, Chang Li s'est épris de Mei Bao. C'était devenu une obsession. Elle l'a repoussé. Il s'est enfui peu après. La suite, vous la connaissez. »

Pensant à Chun Han, et à ce que sa mort signifiait pour tous les autres, j'ai senti les larmes me piquer les yeux. « Qu'est-ce qui va se passer maintenant ? », ai-je demandé.

Hua Chi a offert sa vision de la situation. « Je crois que la vie se déroule d'une manière mystérieuse. Étant donné que la notion de sens est une invention humaine, faisons en sorte de donner un sens positif à cette expérience ! »

Le lendemain, elle a ouvert la porte du hangar et a libéré les prisonniers. Elle leur a même donné des fruits séchés, quelques petits gâteaux et de l'eau. Maître Ch'an et Mei Bao ont choisi de rester à l'intérieur de la maison jusqu'à ce que les intrus soient partis.

Juste avant qu'ils disparaissent dans la forêt, j'ai entendu leur porte-parole crier quelque chose à Hua Chi. Je n'ai pas eu besoin qu'elle traduise ses paroles. Étant donné qu'ils avaient réussi à se rendre jusqu'ici avec l'aide de Chang Li, il était probable qu'ils n'aient pas de difficultés à retourner là d'où ils venaient et qu'ils mettent à exécution leurs menaces.

« Nous serons alors loin d'ici, a dit Hua Chi.

— Mais les autres ? ai-je demandé. Et l'école ? » D'un mouvement du bras, j'ai indiqué le dortoir, les champs, le pavillon.

« L'école sera reconstruite ailleurs, dans un lieu reculé, a-t-elle dit. Même dans un pays aussi peuplé que la Chine, il existe des endroits où se réfugier si on sait où les trouver. Joe Loup Pisteur vient de me dire qu'il irait avec eux. »

Nous nous dirigions vers la grande maison lorsque Hua Chi s'est immobilisée. En se tournant vers moi, elle a dit d'un ton catégorique, empreint d'une fermeté affectueuse : « Vous avez été le bienvenu ici, Dan – un visiteur, un compagnon de travail et un professeur. Je sais que vous vous êtes fait des amis et que vous n'oublierez pas vos élèves. Mais votre foyer n'est pas ici. Ils n'ont plus besoin de votre aide ni de vos services. »

Ensuite, tout s'est passé très vite. Il n'était pas facile de dire au revoir à Mei Bao et à maître Ch'an – et encore moins à mes élèves. Mais nos adieux ont été brefs, car tous étaient occupés à des préparatifs qui ne me concernaient pas. J'ai également dit au revoir à Joe Loup Pisteur et je lui ai promis que je raconterais toute cette histoire à Ama, du mieux que je le pourrais, et que je lui transmettrais ses chaleureuses salutations.

J'ai vaguement eu conscience d'un intense va-et-vient pendant mon sommeil. À mon réveil. La ferme était déserte. Ils avaient tous disparu, comme un mirage.

Hua Chi m'a trouvé assis dans le pavillon désert.

« Vous le voyez, a-t-elle dit. Ils étaient prêts à partir dans un bref délai. Nous sommes les derniers à quitter les lieux. »

Quelle honte, ai-je pensé. *C'est une injustice flagrante – des bureaucrates mesquins et une soi-disant idéologie révolutionnaire!* Je ne savais pas si je devais être triste ou furieux – probablement un mélange des deux. Ils avaient consacré tant de temps et tant d'efforts pour créer cet endroit.

Je me suis rappelé l'histoire que Socrate m'avait racontée à propos du moine Hakuin qui avait été accusé à tort d'avoir fait un enfant à une jeune fille. Lorsque les villageois avaient insisté pour qu'il élève l'enfant, il n'avait prononcé qu'un seul mot : « Vraiment? » Deux ans plus tard, la fille et le véritable père ont réclamé l'enfant, la réponse du moine avait été la même. Il l'avait laissé aller sans opposer de résistance. Cette faculté transcendante m'échappait encore pendant que je parcourais du regard les champs désertés et le pavillon silencieux qui avaient nourri tant de vies et été le théâtre de tant d'apprentissages.

Hua Chi et moi avons contourné le village de Taishan pour rejoindre une agglomération plus importante où nous sommes montés dans un petit train à vapeur. À la gare, j'ai demandé : « Avez-vous vraiment des papiers officiels pour moi? »

Silencieusement, elle m'a tendu une enveloppe renfermant des documents. Et puis, elle a dit : « Vous avez apporté beaucoup à la communauté de mon frère. Une partie de vous demeure avec eux. Du moins, c'est ce que je pense. »

Et ils demeureront avec moi, ai-je pensé. Le dire à haute voix aurait semblé banal, et je me suis donc tu.

Hua Chi m'a conseillé de rester discret pendant notre voyage de retour jusqu'à Hong Kong. Malgré la chaleur printanière, j'étais vêtu d'une tenue traditionnelle et d'un chapeau conique, incliné vers l'avant de manière à garder mon visage dans l'ombre.

L'air couleur de beurre du printemps s'épaississait à mesure que nous nous dirigions vers le sud, traversant de petits villages et les montagnes Célestes à l'est. « Les montagnes sont l'habitat du léopard des neiges et des loups qui migrent vers la Mongolie », a murmuré Hua Chi, toujours une parfaite guide touristique. Moi aussi, je voyais maintenant ces créatures comme des Gardiens. Et je me suis demandé ce qu'il adviendrait de Hong Hong, l'ours de la forêt.

Le fil de mes pensées a été interrompu par Hua Chi qui m'a parlé doucement, son accent britannique étouffé par le bruit du train : « La nature me fascine, mais je serais incapable de vivre à la campagne. »

Pas de signal télé, ai-je pensé, découvrant que je pouvais encore sourire.

Loin derrière nous se trouvait la région mystique de Pamir où Socrate avait étudié avec Nada (alors Maria) et les autres − un lieu tissé par l'ancienne route de la soie, où les cultures hindoues, musulmanes et chinoises avaient échangé marchandises et histoires. Au sud-ouest se trouvaient les hauts sommets du Tibet et du Népal. Alors que le train s'engageait dans une courbe, j'ai regardé au loin et j'ai vu, à travers un nuage de poussière jaune, des treillis de paille érigés pour tenir en échec les dunes de sable toujours envahissantes.

Le lendemain, nous sommes entrés dans la région de Shanxi, appelée le Royaume de la terre du milieu en des temps ancestraux et qui est le berceau de la civilisation chinoise. Alors que nous traversions le fleuve Jaune et la rivière Fen, son affluent, Hua Chi a dit : « Ces grandes rivières font le malheur et la fierté de la Chine. Elles donnent la vie le long de leurs berges, mais lorsqu'elles sortent de leur lit, des milliers de gens meurent et beaucoup perdent leurs récoltes et leurs maisons. L'histoire de la Chine, comme celle d'un grand nombre d'autres pays, je suppose, est douce-amère. »

Ce soir-là, nous avons pris un traversier pour passer de Guangzhou à Hong Kong. C'est l'unique fois où un fonctionnaire nous a causé des ennuis. Il nous a retenus, me regardant d'un air suspicieux. Mais depuis la visite de Nixon en Chine quelques années seulement auparavant, et depuis que la Chine était en contact avec le reste du monde, les étrangers étaient traités avec un peu plus de courtoisie. Donc, après un signe de tête sévère, il m'a finalement laissé passer. Hua Chi m'a emboîté le pas. Je sentais que la majorité des voyageurs étaient soulagés de retrouver une culture et une langue plus familières. J'ai passé cette nuit-là dans la maison de Hua Chi.

À mon réveil le lendemain matin, la première chose que j'ai vue est le visage de David Carradine – elle avait

collé l'affiche sur un mur pour souligner notre enthousiasme commun pour l'acteur. Après le thé et le petit-
déjeuner, je l'ai accompagnée au parc pour une séance de
taï-chi. Elle semblait ravie devant mes modestes progrès.
Nous avons échangé un salut. Je l'ai regardée dans les yeux
une dernière fois avant de charger mon sac sur mes épaules
et de prendre la direction de l'aéroport.

Quelques heures plus tard, à travers le hublot de
l'avion, j'ai admiré la côte de Hong Kong et le vaste territoire
de la Chine. Ce n'est qu'alors que j'ai réalisé que je ne ferais
jamais lire mon journal à Hua Chi. Et elle ne me l'avait pas
demandé. *Quelle importance ont ces mots couchés sur papier
étant donné tout ce qui est arrivé?* ai-je pensé. *Ces mots
auront-ils jamais une importance?* Je ne le saurais pas tant
que je ne les aurais pas partagés.

Maintenant, le Japon m'attendait. Socrate m'avait dit
un jour de suivre mon instinct, de lui faire confiance. Eh
bien, c'est ce que je ferais.

TROISIÈME PARTIE

Pierres, racines, eau

« *Meurs chaque matin par la pensée,
et tu ne craindras plus la mort.* »

— YAMAMOTO TSUNETOMO

HAGAKURE : LE LIVRE DU SAMOURAÏ

30

Après l'atterrissage à Osaka, j'ai pris un train qui rejoignait Kyoto en deux heures. Dans l'ancienne capitale du Japon, Kyoto, les traditions shintoïstes et bouddhistes étaient évoquées par les nombreux temples, jardins, maisons de thé et palais où les samouraïs avaient autrefois gardé et servi l'empereur.

Dans la file d'attente à la douane, j'ai entendu quelqu'un dire : « Kyoto a un millier de temples et 10 000 bars. » *Et voilà pour les anciennes traditions !* ai-je pensé.

De la gare centrale, j'ai réservé une chambre dans un petit hôtel du centre-ville. Après avoir noté le nom et l'adresse, j'ai hélé un taxi. Il paraissait neuf et exceptionnellement propre. Le chauffeur aux gants blancs tirait une grande fierté de son travail et m'a fait bonne impression. Utilisant le peu de japonais que je connaissais, je lui ai indiqué ma destination : « *Hoteru Sunomo no hana, kudasai.* »

« *Hai – arigato* », a dit le chauffeur. Il semblait ravi des modestes efforts que je faisais pour parler sa langue. Il a démarré en trombe. J'ai remarqué qu'il était jeune et que, comme de nombreux conducteurs de son âge, il ne se souciait pas vraiment de la limite de vitesse. J'ai failli lui demander de ralentir, mais j'ignorais comment le dire en japonais. J'aurais dû essayer.

Nous venions d'entrer dans le centre-ville. J'ai scruté la rue devant nous. Alors que nous approchions d'une intersection, j'ai vu un motocycliste avec passager surgir d'une rue transversale. Il regardait dans l'autre direction. « Attention ! », ai-je hurlé, moins de deux secondes avant que le côté droit du pare-chocs du taxi qui roulait trop vite n'emboutisse la moto. Le bruit a été horrible et le spectacle encore pire. La moto a fait une violente embardée et ses passagers ont été projetés dans les airs pendant que le chauffeur du taxi freinait à mort. D'instinct, le chauffeur et moi sommes sortis de la voiture et nous sommes précipités vers les motocyclistes qui gisaient sur le sol. J'avais l'impression que mes jambes étaient en coton – pas uniquement à cause de ce qui venait de se produire, mais tout cela me rappelait mon propre accident de moto, neuf ans plus tôt. J'avais la nausée.

Et puis, tout s'est déroulé très vite alors que nous nous approchions d'une jeune femme ensanglantée, qui pleurait en se roulant d'avant en arrière, visiblement aux prises avec des douleurs associées à des fractures et autres blessures. Elle portait un casque qu'un passant lui a soigneusement enlevé. Il appartenait probablement au conducteur, car lui-même n'en portait pas. Un seul regard à sa tête couverte de sang, à son crâne défoncé, m'a fait comprendre qu'il était sans doute décédé. Le commis d'un magasin voisin était retourné à l'intérieur en courant pour appeler de l'aide. Nous avons bientôt entendu des sirènes.

Je suis resté sur la scène de l'accident assez longtemps pour dire au policier que le feu était vert pour nous et que le motocycliste s'était jeté devant nous. Le jeune chauffeur de taxi était livide et il ne cessait de s'incliner en s'excusant. J'ai donné le nom de mon hôtel à un policier au cas où il voudrait me poser d'autres questions, et puis j'ai trouvé un autre taxi. Je ne garde aucun souvenir du trajet.

Ébranlé, je me suis inscrit, j'ai gagné ma chambre, j'ai déroulé le futon traditionnel sur le plancher recouvert d'un tatami, et je me suis étendu. C'était le deuxième décès auquel j'assistais en l'espace d'une semaine.

Cette collision mortelle m'apparaissait comme un mauvais présage, comme si la Faucheuse se tenait à côté de moi, murmurant des mots que je n'arrivais pas à saisir. Je suis resté étendu, l'esprit en émoi. J'ai essayé de faire des plans, mais j'ai pensé : *Pourquoi faire des plans quand on doit toujours les changer ? Quels plans ce jeune chauffeur de taxi, ou le couple sur la moto avaient-ils faits ? Et pourquoi suis-je venu ici, de toute façon ? Ai-je mal interprété le message du petit samouraï ?*

À un moment donné pendant la nuit, le spectre au capuchon noir qui m'avait hanté pendant mes études à Berkeley est revenu pointer un doigt osseux dans ma direction. Il pouvait me prendre. N'importe quand. N'importe où. Je le savais maintenant.

Le lendemain matin, je me suis réveillé dans un meilleur état mental, mais d'humeur sombre – les échos et les images des événements de la veille étaient encore présents dans ma tête. Renonçant à me demander si j'avais bien fait de venir au Japon, j'ai accepté ma réalité : j'étais là, je visiterais quelques écoles d'arts martiaux et je prendrais des notes pour le rapport que je devais présenter au comité de mon établissement d'enseignement. Et puis, je rentrerais à la maison.

Après m'être renseigné auprès du portier, qui parlait un peu anglais, j'ai pris un petit-déjeuner typiquement japonais : une soupe au miso, du riz, des cornichons et des dumplings. Et puis, je suis parti explorer la ville avec l'intention d'accomplir mes tâches professionnelles.

Pendant ma jeunesse, et plus tard en tant qu'entraîneur à Stanford, j'avais suffisamment étudié le karaté et l'aïkido pour savoir quelles questions poser. Mon récent entraînement au taï-chi avait également aiguisé mon œil et je percevais mieux les flux d'énergie qui étaient à la base des techniques.

J'ai déniché une école de karaté bien connue. Après avoir observé un cours, j'ai pu parler à l'instructeur, l'un de ses élèves nous servant d'interprète. Ce *sensei* d'un certain âge incarnait parfaitement le vétéran du karaté, avec ses cheveux grisonnants, ses pommettes saillantes et ses jointures aplaties. Il était vêtu d'une tunique de coton épais – un *gi* traditionnel – attachée à la taille par une vieille ceinture noire délavée. *Plus vieille est la ceinture, plus grande est l'expérience de celui qui la porte*, me suis-je rappelé.

Je l'avais observé faire une démonstration d'une technique de combat avec une autre ceinture noire. Il semblait être redoutable, mais il s'exprimait d'une voix douce. L'élève traduisant à mesure qu'il parlait, le *sensei* m'a raconté une version de l'histoire du karaté. J'avais du mal à rester concentré et sa voix semblait parfois venir de loin ; j'étais toujours secoué et préoccupé par la mort de mon ami Chun Han en Chine et celle du motocycliste la veille. Est-ce que tous les décès nous font penser au nôtre ?

Pendant ce temps, le *sensei* parlait du voyage entrepris par le prince indien Bodhidharma qui était venu en Chine pour répandre le bouddhisme et les arts martiaux, plus particulièrement auprès des moines du monastère Shaolin. Il avait conçu une série de mouvements visant à promouvoir la vitalité après des heures de méditation, et à servir de technique d'autodéfense pour affronter brutes et bandits, ce qui a été bientôt connu sous le nom de boxe de Shaolin. Selon la légende, il a ainsi créé un amalgame du karaté, des arts martiaux asiatiques et de la méditation bouddhiste.

Ayant recueilli ce qu'il me fallait pour mon rapport, je me suis incliné et j'ai pris congé.

Plus tard, pendant l'après-midi, je me suis rendu dans une école satellite où l'on enseignait l'aïkido. Ne trouvant personne dans l'entrée ni dans le petit bureau, j'ai retiré mes chaussures et me suis aventuré précautionneusement dans la salle d'entraînement au sol recouvert de tatamis, ou *dojo*, qui signifie lieu consacré à la pratique et à la méditation. Là, je suis tombé sur une scène lugubre : les élèves étaient agenouillés en rangs devant l'autel traditionnel et une photographie de Morihei Ueshiba, le fondateur de l'aïkido.

À l'avant de la salle se trouvaient quatre instructeurs âgés, également agenouillés dans la position traditionnelle *seiza*. Ils étaient vêtus d'une tunique de coton blanc et d'un pantalon noir aux jambes évasées, le *hakama* propre à leur rang. Leurs élèves étaient figés dans le silence pendant que l'un des instructeurs repliait soigneusement un parchemin qu'il venait de lire. J'ai remarqué que plusieurs élèves pleuraient doucement. *De mauvaises nouvelles. Peut-être un décès*, ai-je pensé. *Encore un.*

Mon esprit et mon cœur ont été transportés au bord de l'étang dans la forêt de Taishan où l'on avait mis en terre le corps de Chun Han. Je me suis assis sur un petit banc à l'arrière de la salle et j'ai prêté l'oreille à cette autre langue que je ne connaissais pas. *Cesse de t'apitoyer sur ton sort*, a dit une voix dans ma tête. *Tu ne parles pas japonais, Dan, mais tu parles le langage des arts martiaux.*

C'était vrai, et j'ai compris ce qu'a alors dit l'un des instructeurs à ses élèves : « *Renshu shite kudasai – onegaishimasu!* » Son ton était à la fois chaleureux et énergique. *Je vous en prie, continuez à vous entraîner – n'abandonnez pas!* ai-je traduit.

Les élèves se sont relevés promptement, s'essuyant les yeux et formant des groupes de deux, s'efforçant de faire preuve de *gaman*, ou de tolérance stoïque, une facette du caractère japonais que j'avais appris à comprendre pendant mon entraînement à cet art martial qu'est l'aïkido. Faisant tour à tour des cercles autour de l'autre, alertes et détendus, ils passaient soudainement à l'attaque, ce qui obligeait leur partenaire à s'exercer à des mouvements d'esquive et de défense circulaire qui étaient majoritairement constitués de blocages du poignet et de plaquages au sol, transformant tout en douceur la dynamique de l'attaque en une défense contrôlée qui la neutralise sans blesser sérieusement l'attaquant.

L'un des instructeurs s'est approché de moi et j'ai cru l'entendre prononcer quelques mots en anglais. Je me suis tourné vers lui et j'ai demandé : « S'il vous plaît, *kudasai*, qu'est-il arrivé ? »

Tout d'abord, il n'a rien dit – il cherchait peut-être les mots justes ou bien se demandait s'il devait se confier à un visiteur étranger. Lentement, dans un anglais hésitant, il m'a expliqué que leur très estimé instructeur en chef, une ceinture noire 7e dan et le fondateur de ce *dojo*, s'était suicidé récemment.

Mon corps tout entier a été parcouru d'un frisson. Pendant un instant, le *sensei* qui se trouvait devant moi a été remplacé par le spectre au capuchon noir. *Où que j'aille, la mort me suit*, ai-je pensé. Et je me suis demandé : *Suis-je le serviteur qui fuit à Samarra ?* Et puis, je me suis rappelé ces paroles de Socrate : « On ne peut vaincre la mort ; on ne peut que réaliser qui nous sommes vraiment. *Qu'est-ce que cela signifie ?* a crié une voix dans ma tête.

Avant de me laisser, voyant l'expression de mon visage, le *sensei* a ajouté : « Il n'a pas choisi le *seppuku* à la manière du samouraï. Il n'avait pas été déshonoré. *Sensei Nakayama*, un professeur d'une grande force et d'une grande sagesse, était très triste. Une dépression. J'ai lu le message qu'il a laissé aux élèves – pour les encourager à s'entraîner sincèrement – avant de partir pour Aokigahara Jukai.

— Aokigahara Jukai – qu'est-ce que c'est ? », ai-je demandé, mais l'instructeur n'a pas semblé m'entendre. Il s'est incliné et m'a laissé là. Je me suis rassis sur mon banc et j'ai observé. Malgré leur chagrin, les élèves se guidaient les uns les autres, enchaînant attaques et défenses dans une gracieuse danse de pouvoirs, où l'harmonie était perdue et restaurée encore et encore.

Après tout ce qui m'était arrivé récemment – en plus d'apprendre le suicide d'un maître de l'aïkido –, c'est un peu étourdi que j'ai quitté les lieux. *Des champs d'énergie*, ai-je pensé en poussant la porte, me retrouvant sous un soleil voilé, dans l'air humide du printemps. Ensuite, j'ai erré dans les rues, presque inconscient de ce qui m'entourait, ne me rappelant rien.

Au début de la soirée, de retour dans ma chambre d'hôtel, j'ai pris les journaux et je les ai relus. D'abord les notes de Soc, et ensuite les miennes. Lorsque j'ai finalement refermé les cahiers, il était tard et j'ai dû admettre que le cœur du message ne m'avait pas encore pénétré. Mes mots avaient jailli de la source de *ses* idées, de *ses* prises de conscience. J'avais finalement eu un aperçu du portail dont il parlait, mais je ne l'avais pas encore franchi. Juste avant de m'endormir, une étrange pensée m'est venue à l'esprit : *Peut-être ne suis-je déjà plus, et que tout ceci est la vie après la mort.*

Le spectre mystérieux m'a suivi le long de rues sombres jusqu'à ce que je me réveille en sursaut, haletant. Mon regard a balayé la pièce obscure ; j'avais l'impression de manquer d'air. Me levant péniblement, je me suis aspergé d'eau froide le visage et la poitrine, et je me suis habillé rapidement. Fuyant le minuscule hôtel de cette magnifique ville de Kyoto, j'ai erré sans but, voulant désespérément me défaire de cette impression de ne plus faire partie du monde des vivants.

Partout où je regardais, je sentais la fragilité de la vie humaine. Je n'avais plus de défenses, le déni n'était plus possible. Dans un claquement de doigts de l'éternité, je tomberais moi aussi, comme les pétales blanc et rose qui tapissaient le sol au pied des cerisiers. Tous les gens que je croisais mourraient aussi. Même maintenant, ils m'apparaissaient fantomatiques, transparents. Personne ne faisait attention à moi, j'étais un *gaijin* dans un océan de Japonais, et cela ne faisait qu'accentuer un sentiment d'invisibilité, l'effroi que m'inspirait la non-existence.

31

J e suis entré dans un parc. Tout était calme avant l'aube, mais en moi faisait rage une bataille entre l'amour et la peur, entre l'individualité et la non-existence. Sous les premiers rayons du soleil, cherchant à rétablir un lien avec la Terre, j'ai fait quelques pompes, et puis un appui renversé sur un banc. Après quelques étirements, j'ai amorcé le programme d'exercices habituel du taï-chi qui était devenu une partie de moi-même. Finalement, j'ai réussi à me réapproprier mon corps. *Je ne mourrai pas comme une victime. Même si je ne deviens jamais un guerrier comme Socrate, je trouverai ma propre voie.*

Je suis retourné à l'hôtel pour me reposer. Dès que j'ai ouvert la porte de ma chambre, je l'ai vu qui se tenait debout devant moi – avec le même sourire et la même posture qu'autrefois. Socrate n'avait absolument pas vieilli, du moins pas dans mon imagination. Ce n'était pas vraiment lui, bien sûr, mais une apparition, un rappel qui s'est évanoui rapidement.

Mais je pouvais entendre sa voix : « Je ne suis pas ici pour que tu me fasses confiance, Dan. Je suis ici pour t'aider à avoir confiance en toi. » Je me suis tourné vers le petit samouraï que j'avais posé sur la table. Il m'indiquait la voie à suivre. Socrate avait écrit dans sa lettre : « Où que tu fasses un pas, un chemin apparaîtra. »

Quittant l'hôtel pour trouver mon chemin du jour, le chemin de ma vie, je me suis rappelé un moment inquiétant que j'avais vécu pendant une randonnée de nuit en forêt. Sous la pâle lueur d'un croissant de lune, je n'avais qu'une petite lampe frontale pour m'éclairer. À un moment donné, vers quatre heures du matin, j'avais réalisé que j'avais quitté le sentier. J'étais lentement revenu sur mes pas jusqu'à ce que, 10 minutes plus tard, je retrouve son vague tracé. En cet instant, je me sentais exactement comme cette nuit-là. J'ai fait un pas en avant, et puis un autre, pour voir où cela me mènerait.

J'ai déambulé le long de jardins et de petits lieux de pèlerinage shintoïstes, et je suis monté à bord de plusieurs tramways qui m'ont conduit dans diverses parties de la ville. J'ai laissé mes pensées vagabonder, faisant confiance à mon cerveau pour les trier et trouver un sens à tout ce qui était arrivé.

Descendant d'un tramway au début du crépuscule, j'ai marché dans l'air chaud et humide jusqu'à mon hôtel, cherchant parmi les boutiques un café où je pourrais trouver des nouilles ou du riz avec des légumes. Au moment où je passais devant un kiosque à journaux, le propriétaire, un vieil homme aux cheveux blancs, a levé devant moi un journal de langue anglaise en le tenant des deux mains. Après l'avoir acheté, je suis entré dans un restaurant où j'ai montré du doigt une image représentant un plat de riz, de légumes et de tofu, marmonnant *gohan, yasai, tofu, kudasai* – faisant ainsi comprendre au commis au comptoir que j'étais *bejitarian*. Je me suis assis à une table de plastique et j'ai jeté un coup d'œil au journal.

Sur la première page, sous le pli, un article a attiré mon attention. Il mentionnait la sinistre forêt qui s'étend à la base du mont Fuji, du côté nord, et que les Japonais appellent Aokigahara Jukai, la mer d'arbres, ou encore la forêt du suicide. *N'était-ce pas là que le maître d'aïkido était allé mourir?* me suis-je demandé en fouillant dans mes souvenirs. L'article décrivait ensuite l'endroit comme « un site célèbre où ont lieu de nombreux suicides chaque année, et où le gouvernement avait fait installer à l'entrée du principal sentier de randonnée une affiche recommandant vivement aux visiteurs de penser à leur famille et de communiquer avec un conseiller en prévention du suicide ».

Mon repas a été servi. J'ai mis le journal de côté. J'ai décidé de terminer l'article pendant que je me rendrais à Aokigahara Jukai.

Le lendemain matin, j'ai trouvé à la billetterie de la gare routière un agent qui parlait anglais et qui m'a donné un horaire et des directives détaillées. Je suis monté à bord d'un autocar qui m'a déposé au nord-est des contreforts du mont Fuji. De là, j'ai parcouru à pied plusieurs kilomètres. L'article faisait état de touristes qui visitaient la forêt dans l'intention de découvrir les ossements de gens décédés depuis longtemps aux côtés de dépouilles plus récentes. Un grand nombre de ces corps restaient bien cachés, et les familles qui partaient à la recherche des restes d'un être cher pouvaient parfois fouiller les sous-bois pendant des mois, et même ne jamais les trouver.

Lorsque je suis finalement arrivé à l'entrée du sentier, j'ai pénétré dans la forêt dense. Il y flottait une odeur bizarre et je sentais ce que je ne peux que décrire comme une étrange énergie. Je me suis enfoncé plus profondément dans ce qui me faisait déjà penser à un enfer, peuplé par les fantômes, les démons et l'âme agitée, pleine de colère, de ceux qui étaient morts ici. Je me sentais étrangement chez moi.

Alors que je pénétrais encore plus profondément dans la forêt, l'air est devenu plus épais, étouffé par une chape de silence. Apparemment, les oiseaux et les autres animaux évitaient cette zone à cause de la présence de radon, ce qui donnait lieu à un calme mystérieux, immobile. J'avais trouvé la forêt de Taishan étrange, mais cet endroit m'apparaissait lugubre; on aurait même dit qu'il appartenait à un autre monde. Cette fois, j'ai accepté le fait que je ne pourrais pas utiliser ma boussole à cause des fortes concentrations de roche volcanique et de minerai magnétique.

J'ai marché le long d'un sentier balisé, à la recherche d'une caverne faite de roc et de glace, ou encore d'un tunnel de vent. À l'entrée de la forêt, j'avais vu des pancartes où, en différentes langues, on recommandait aux randonneurs de ne pas s'aventurer hors du sentier sans tirer un fil derrière eux – « Si vous ne marquez pas le chemin du retour, vous pourrez aisément vous perdre !» – et cela m'avait rappelé le plongeur dans la grotte sous-marine et comment j'avais frôlé la mort à Mountain Springs Summit. *Pourquoi tenter le sort?* ai-je pensé. *J'ai déjà pris assez de risques pour un seul homme.* J'avais acheté un rouleau de ficelle.

Une heure après être entré dans la forêt, j'ai repéré quelques ossements éparpillés. Des ossements humains? C'était difficile à dire. Étant donné que la lumière du soleil n'arrivait pas à percer le feuillage très dense, il n'y avait pas d'ombres distinctes. Au début, j'ai cru que quelqu'un me suivait, jusqu'à ce que je me rende compte que le son que j'entendais était l'écho de mes propres pas dans l'air immobile. Les heures ont passé et la chaleur et l'humidité étaient toujours aussi oppressantes. Plusieurs fois, je suis revenu sur mes pas en suivant la ficelle que j'avais tendue, et puis je repartais dans une autre direction.

Des visiteurs avaient raconté avoir découvert des corps en état de décomposition – verts et jaunes, gonflés, couverts de champignons et autres pousses, fusionnant avec la matière organique de la nature environnante. J'ai trouvé réconfortante l'idée de ces corps qui retournent à la terre, et j'ai pensé encore une fois à mon ami Chun Han.

Juste après avoir commencé à enrouler ma ficelle une dernière fois afin de retrouver le sentier, j'ai fait un brusque écart afin de ne pas buter sur un corps. Il semblait en être aux premiers stades de décomposition et on pouvait encore dire que c'était une femme. Le cadavre dégageait une odeur forte, nauséabonde. J'ai détourné les yeux, comme pour respecter son intimité, mais quelque chose a accroché mon regard. Sous le bras de la femme, j'ai aperçu le coin de ce qui semblait être une enveloppe emballée dans un étui de plastique.

Dégageant la mousse qui recouvrait partiellement le plastique, j'ai vu que des mots avaient été calligraphiés sur l'enveloppe. J'ai pu reconnaître l'idéogramme signifiant « Kyoto », l'ayant vu récemment sur de nombreuses pancartes. S'agissait-il d'une adresse ? J'ai mis l'enveloppe dans ma poche et je me suis hâté vers l'arrêt d'autobus afin de rentrer avant le crépuscule, pensant : *Je n'aurai jamais l'occasion de me recueillir sur la tombe de Chun Han, mais peut-être puis-je rendre service à cette femme.*

En arrivant à l'hôtel ce soir-là, je me suis arrêté à la réception, j'ai montré l'enveloppe au préposé en lui demandant ce que signifiait le texte qui y était inscrit. L'homme a traduit : « Veuillez remettre à Kanzaki Roshi, Temple zen Sanzenji, Nakazashi-ku, Kyoto-shi, Kyoto-fu. »

J'étais en mesure d'accéder à cette demande. Je pourrais exaucer le dernier vœu de cette femme sans nom.

32

Après avoir effectué un autre trajet en autocar et gravi une pente escarpée, j'ai pu admirer le parc aménagé avec art du temple Sanzenji avec des montagnes vertes au loin comme toile de fond. Plus petit que d'autres temples, sans autocars de touristes garés partout, il dégageait simplicité, élégance et solitude – ce que les moines zen appellent *wabi-sabi*. Je me suis approché d'un gardien. «Kanzaki Roshi?» Je lui ai montré la lettre, la tenant de manière à lui faire comprendre que je ne la lâcherais pas. Pas encore. Le gardien a fait un signe en direction du jardin puis s'est éloigné et j'ai commencé à explorer le jardin. Jetant un coup d'œil derrière moi en direction du temple, j'ai remarqué sa ressemblance avec une villa. Il avait peut-être déjà été une résidence. Le feuillage pourpre des érables du Japon contrastait avec le vert de la mousse et des pins. Ces derniers avaient été taillés et offraient des formes évoquant la sérénité et l'équilibre.

Je me suis agenouillé au bord d'un petit étang et j'ai observé des carpes koïs onduler dans l'eau claire. Dans des moments comme ceux-là, la vie m'apparaissait comme – quels étaient les mots de Mei Bao ? – « un rêve merveilleux ». *Se pourrait-il que j'imagine tout ça ?* Vue sous un certain angle, ma vie semblait être une suite d'expériences oniriques, de rêves qui se transformaient parfois en cauchemars, ma vie éveillée étant constamment suspendue entre deux scènes surnaturelles.

J'ai senti qu'on me touchait légèrement l'épaule et je me suis tourné pour découvrir un vieil homme vêtu d'une robe de moine et qui, de haut, me souriait gentiment. Je me suis relevé et je l'ai salué. Il s'est adressé à moi en anglais, avec un fort accent : « Je suis Kanzaki Roshi. On m'a dit que vous aviez une lettre pour moi ? »

Je me suis présenté et, à la manière japonaise, je lui ai tendu la lettre des deux mains, et puis je me suis encore incliné. Il a pris la lettre de la même façon et il a ouvert l'enveloppe. J'ai vu à travers le papier que la missive était brève, si brève qu'il n'aurait pas fallu plus de quelques secondes pour la lire. Mais le *roshi* a fixé la feuille pendant plus d'une minute.

Lorsqu'il a finalement levé les yeux vers moi, j'ai constaté qu'ils étaient humides. « Vous joindrez-vous à moi pour le thé ?

— J'en serais honoré. »

Quelques minutes plus tard, nous nous sommes agenouillés devant une table basse pendant qu'une femme

vêtue d'un kimono s'approchait avec les ustensiles nécessaires à la préparation du *matcha*, un thé vert légèrement
amer. Elle a versé de l'eau fumante sur une poudre verte et
a vivement mélangé le tout avec un fouet. Avant de prendre
une gorgée, j'ai imité les gestes du *roshi* du mieux que j'ai
pu, tournant et admirant la tasse, une caractéristique rituelle
de la philosophie zen, née d'une longue pratique de la
méditation.

Après le thé, le *roshi* m'a demandé comment je m'étais
procuré la lettre et ce qui m'avait poussé à la lui apporter.
Je lui ai donné une explication aussi simple que possible.
Lorsque je me suis tu, il s'est de nouveau incliné en disant :
« Merci de vous être donné cette peine.

— Ce n'est rien », ai-je dit. Je voulais en savoir davantage, mais je ne voulais pas l'offenser en lui posant des
questions. Devinant mes pensées, il a dit : « Elle s'appelait
Aka Tohiroshina. Elle travaillait ici à temps partiel, comme
gardienne. J'ai fait de mon mieux pour la conseiller et la
guider. Mais il semble que cela n'a pas suffi. » Il a déplié la
feuille de papier et a traduit la lettre à mon intention.

> Très respecté Kanzaki Roshi,
>
> Je suis désolée de m'être enlevé la vie. Comme
> vous le savez, cela a été une longue lutte. Je n'ai pas
> posté cette lettre au cas où je changerais d'avis.
> Et maintenant, je ne crois pas que vous la recevrez
> un jour. Mais si c'était le cas, je vous en prie, n'es-
> sayez pas de récupérer mon corps. Je ne veux plus
> causer d'ennuis à qui que ce soit. Vous me rendriez un
> grand service si vous transmettiez mes excuses à ma

mère, qui a fait de son mieux. Je vous remercie pour vos conseils et vos soins. Vous avez rendu ma vie plus paisible pendant un certain temps.

Nous avons ensuite gardé le silence pendant un moment.

Il semblait que cette jeune femme et le vieux maître d'aïkido dont j'avais appris la mort plus tôt aient tous deux succombé au démon de la dépression. Je me suis rappelé quelqu'un que je connaissais autrefois dans la région de la baie de San Francisco et qui souffrait lui aussi de dépression. Il avait, sur un coup de tête, sauté du haut du Golden Gate, uniquement pour devenir l'un des rares survivants d'un tel geste. Dans sa chute, il s'était fracturé le bassin et les deux jambes, et c'est sans compter les lésions internes qu'il s'était infligées. Plusieurs années plus tard, complètement remis, il a révélé qu'après avoir sauté, pendant un plongeon qui a duré de longues secondes, dans un état de suspension où il s'était trouvé hébété et désorienté, il avait changé d'avis : il voulait vivre. *Combien d'autres étaient morts après avoir changé d'avis pendant leur chute ?* me suis-je demandé.

Kanzaki Roshi m'a invité à marcher avec lui dans le jardin.

Il m'a interrogé sur ma présence au Japon, et je lui ai expliqué que je m'intéressais à des pratiques telles que le zen et les arts martiaux. « J'ai lu suffisamment d'ouvrages pour comprendre qu'au cœur du zen se trouve la méditation *zazen* et la résolution de kōans qui mènent directement à l'éveil. Et je m'y suis un peu exercé », ai-je dit. Il a attendu que je poursuive, et j'ai donc ajouté en souriant : « J'en sais trop ; j'en comprends trop peu. »

Le *roshi* semblait si réceptif que je me suis surpris à lui confier mes pensées et mes préoccupations les plus profondes : « J'ai fait beaucoup d'introspection, ai-je dit, et pourtant, ma vie ressemble à un kōan non résolu. J'ai eu la chance d'étudier avec un maître que j'ai appelé Socrate, comme le philosophe grec. Mais mon esprit demeure agité… » Voilà que je m'étais mis à bafouiller. Après une pause, j'ai choisi mes mots plus soigneusement : « J'espère acquérir une nouvelle vision afin d'enrichir ma compréhension de novice. »

Pendant que nous marchions, j'ai remarqué comment les branches des érables rouge et vert se penchaient gracieusement au-dessus de l'étang, et j'ai admiré le sentier formé de pierres plates entourées de gravier fraîchement ratissé. Des jardiniers chaussés de *jikatabis*, qui séparaient le gros orteil des autres orteils, travaillaient non loin. Le *roshi* a poursuivi : « Les jardiniers japonais ne créent pas la beauté, mais l'honorent et la cultivent. Comme un sculpteur sur bois retranche tout ce qui n'est pas nécessaire à la forme qu'il veut créer, les artistes du paysage enlèvent le superflu – sur les arbres et en eux-mêmes. »

Kanzaki Roshi a encore fait un geste en direction des pierres couvertes de mousse, des racines et de l'eau. Indiquant l'un des arbres, il a dit : « Pour les Japonais, le prunier est un cœur brave, le premier arbre à fleurir après la froidure de l'hiver. » Il a attiré mon attention sur un petit bosquet vert à notre droite. « Le bambou, avec la droiture de ses tiges, représente l'honnêteté. » Pendant que nous longions la zone soigneusement ratissée – un océan de sable où flottaient de petites îles de roc où poussaient de petits pins taillés pour qu'ils conservent la taille d'un bonsaï –, il a ajouté : « Nous tirons une inspiration du pin parce que, immuable en toutes saisons, dans sa forme et sa couleur, il évoque la force et la constance. »

J'ai dit : « Près de l'entrée, j'ai remarqué que les branches d'un pin sont décorées d'un grand nombre de petits morceaux de papier qui pendent comme de minuscules fruits et sur lesquels il y a une écriture.

— Ce sont des prières, a-t-il dit. Une tradition shintoïste.

— Mais n'est-ce pas un temple bouddhiste ? »

Il a souri et haussé les épaules. « Le shinto est entrelacé avec les racines de la Terre et de la vie japonaise. Une croyance veut que les *oni*, les mauvais esprits, se rassemblent là où la poussière et la saleté s'accumulent. C'est pour cette raison que, pour tant de Japonais, la propreté du corps est parente de la propreté de l'âme. La religion shintoïste compte 10 000 dieux – une autre façon de dire que l'Esprit est partout. Mais les disciples de la tradition zen évitent de telles idées abstraites, préférant l'immédiateté de chaque moment.

— Il semble également que ces deux traditions soient à ce point ancrées dans la culture japonaise qu'il est difficile pour un étranger de faire la distinction, ai-je dit.

— Oui, elles se fondent en quelque sorte l'une dans l'autre », a-t-il expliqué en entrelaçant les doigts de ses deux mains. « Et pourtant, elles sont distinctes. Le shinto, ou la voie des dieux, est la religion indigène du Japon et elle date de l'histoire ancienne. Elle est fondée sur des croyances en des *kami*, des divinités de la nature, et elle comprend des rites de purification dans le but d'expier les mauvaises actions et de trouver l'équilibre spirituel. La majorité des Japonais pratiquent ou honorent le shinto à leur manière. La philosophie zen est apparue plus récemment au Japon. Elle découle du bouddhisme chinois connu sous le nom de Chan et elle est basée sur les quatre nobles vérités du Bouddha et le noble sentier octuple qui permettent de connaître l'illumination et de transcender les cycles de la vie, de la mort, de la renaissance et de la souffrance.

« Alors que les bouddhistes mettent l'accent sur l'étude des sutras et les rituels, la philosophie zen a une approche directe et passe par la pratique de la méditation *zazen* et de la résolution de kōans auprès d'un professeur expérimenté dans le but d'acquérir une perspective qui peut mener à une illumination graduelle ou soudaine. Alors que le shinto est traditionnel et commun, la philosophie zen est simple et axée sur l'individu, et elle repose sur la sincérité des efforts de celui qui la pratique.

— Comme l'a dit maître Takeda Shingen : "Le zen n'a pas d'autres secrets que de penser sérieusement à la vie et à la mort." »

Après mes récentes expériences, ces mots s'inscrivaient au cœur de ma quête.

Peut-être à cause de l'expression de mon visage, Kanzaki Roshi a souri et a dit gentiment : « Voilà, professeur

Dan, j'ai utilisé les mots auxquels j'avais droit cette semaine avec ce regard que nous avons posé sur les jardins et la vie japonaise. Peut-être que la méditation et la pratique des kōans pourront-elles vous aider à apprécier directement de tels concepts, au-delà de l'intellect. »

J'ai hoché la tête, me rappelant la lettre de la jeune femme qui m'avait amené ici. « Récemment, des circonstances m'ont poussé à beaucoup réfléchir à la mort. C'est une interrogation qui s'apparente à un kōan. C'est elle qui m'a conduit jusqu'à la forêt d'Aokigahara et à votre élève.

— Bientôt, a-t-il dit, je célébrerai un rituel qui l'honorera parmi ceux qui l'ont connue. Elle nous a offert un autre rappel du caractère éphémère de la vie, de la façon dont nous traversons l'existence comme dans un rêve. » J'ai senti un frisson me parcourir l'échine, car ces mots illustraient parfaitement mon état actuel. *Quand est-ce que je vais me réveiller?* ai-je pensé.

Kazanki Roshi s'est brusquement tourné vers moi, m'a regardé dans les yeux, et a demandé : « Quelle est la véritable raison de votre venue au Japon ? » Le caractère direct de sa question m'a surpris.

J'ai cherché les mots justes, mais rien ne m'est venu à l'esprit. J'ai donc retiré le sac de mon dos et j'en ai sorti le petit samouraï. Je le lui ai tendu avec les deux mains, la tête inclinée. Il l'a accepté de la même façon et s'est adressé directement à la statuette : « *So desu!* », a-t-il dit avec une note d'intensité dans la voix. Et quelque chose qui ressemblait à de la stupéfaction.

« Parfois, de telles choses arrivent, a-t-il murmuré pour lui-même. Et puis, en s'adressant à moi, il a dit : « Il me semble que vous avez un autre but.

— Quel but ? », ai-je demandé, curieux.

Il a encore souri, cette fois comme un enfant qui s'attend à une surprise. Me rendant la statuette, il a dit : « Je ne peux pas vous répondre avec des mots. Il y a un autre temple, un lieu de retraite, un endroit si peu connu qu'il n'a pas de nom. Avec votre permission, je vous y conduirai moi-même, sans délai. »

33

Après un bref trajet, notre voiture nous a laissés au fond d'une impasse. Je pouvais voir de petites maisons un peu plus loin, mais la route s'arrêtait là, à l'orée d'une épaisse forêt de bambous. J'ai suivi le *roshi* qui se frayait prudemment un chemin entre les arbres.

Nous avons atteint une piste étroite qui serpentait vers la gauche et ensuite vers la droite avant de devenir un sentier plus large fait de pierres plates et de gravier. La robe de Kanzaki Roshi a flotté derrière lui lorsqu'il est à nouveau disparu dans un virage du sentier. Quelques minutes plus tard, je l'ai trouvé qui m'attendait dans une clairière. À l'autre bout de celle-ci, derrière un muret de bambou, se trouvait ce qui aurait pu être une maison traditionnelle, son épais toit de chaume en pente raide fait avec ce que le *roshi* a décrit comme un mélange de paille de riz et d'écorce de cèdre.

Il y avait une ouverture dans la clôture de bambou, une porte basse faite de chevilles de bois et de roseau tressé qui basculait vers le haut, obligeant les arrivants à s'agenouiller et à faire un salut, prenant ainsi la position nécessaire pour soulever le battant, un geste d'humilité semblable au salut traditionnel que les praticiens d'arts martiaux effectuent lorsqu'ils pénètrent dans un *dojo* ou en sortent. Kanzaki Roshi a gracieusement franchi la porte et l'a maintenue ouverte avec un bout de bois. Je l'ai suivi. Il a retiré la perche et la porte s'est refermée derrière nous. Alors que nous nous approchions de la maison, j'ai remarqué que le plancher était légèrement surélevé en prévision de la saison des pluies.

Nous avons retiré nos chaussures sur la petite véranda et nous sommes entrés. Au centre de la pièce, une table basse se trouvait près d'un petit foyer qui devait servir à la fois à la cuisson et au chauffage. Des tatamis usés, mais immaculés recouvraient le sol. Une unique fenêtre laissait entrer une lumière douce. Les murs étaient faits de panneaux de papier de riz.

Nous avons traversé la pièce rapidement. Kanzaki Roshi a fait glisser un panneau menant à une allée couverte qui donnait sur un autre magnifique jardin, plus petit que celui du temple. Le long de l'allée, des panneaux fermés laissaient deviner d'autres pièces. Le *roshi* a enfilé des sandales et m'a fait signe de l'imiter. Manifestant le même enthousiasme enfantin qu'il avait montré plus tôt, il m'a guidé vers le fond du jardin et ensuite le long d'un sentier sinueux irrégulièrement pavé qui débouchait sur une grosse pierre plate qui m'arrivait à la taille.

Sur la surface de la pierre deux petites statuettes se dressaient, représentant des samouraïs, pratiquement identiques à la mienne en âge et en apparence, et qui se faisaient dos. Chaque guerrier se tenait dans une position différente. Le premier, m'a expliqué le *roshi*, adopte la position de l'eau, il tient son sabre devant lui, les mains et la poignée près de la taille, la lame pointant vers le haut en direction de la gorge d'un adversaire invisible. Le second guerrier est dans la position du feu, il tient son sabre au-dessus de sa tête, fait basculer la lame vers l'arrière, prêt à frapper à tout instant. Il s'agissait de deux positions de combat classiques.

———✳︎———

Le *roshi* a indiqué sur la pierre un ovale légèrement décoloré où une troisième statuette avait dû se trouver autrefois. Il s'est tourné vers moi et a attendu. J'ai sorti mon propre samouraï de mon sac et je l'ai posé à cet endroit, le tournant d'un côté, et puis de l'autre. Ce n'est que lorsqu'il s'est trouvé dos à dos avec les deux autres qu'il s'est bien imbriqué dans le léger creux formé dans la pierre. Maintenant, les trois samouraïs formaient un triangle, se faisant dos, alertes, chacun protégeant les deux autres. J'avais déjà examiné la position de mon petit samouraï sans en comprendre la signification. Contrairement aux deux autres, son sabre se trouvait dans le fourreau (ou *saya*), sa main sur la poignée – ce n'était pas une position de combat, mais il était prêt. C'était un guerrier pacifique.

Pendant un moment, j'ai retenu ma respiration. *Comment est-ce possible?* me suis-je demandé. Des souvenirs ont surgi dans mon esprit : le moment où j'avais trouvé le petit samouraï dans une grotte sous-marine de nombreux mois auparavant ; mon périple dans le désert ; le jour où je l'avais laissé me guider vers la ville de Hong Kong, et puis ma traversée de la forêt de Taishan jusqu'à l'école et, finalement, le Japon. Ce petit samouraï était rentré chez lui. Je n'avais pas d'explication, mais je savais qu'il devait en être ainsi.

La triade était maintenant complète – tout comme, semblait-il, j'étais arrivé au terme de mon voyage. Ce qui avait commencé comme un mystère se concluait de la même manière. Pendant encore quelques instants, j'ai contemplé cette mystérieuse réunion. Et puis, saluant les trois samouraïs, je leur ai dit adieu. Je crois que cela aurait plu à Socrate.

———※———

La révélation est passée comme un rayon de soleil ou une averse. Pendant que le *roshi* et moi nous éloignions, un passage de mon journal m'est revenu à l'esprit : « *Tout le reste n'est que souvenirs, ce que nous appelons le passé, et qu'imagination, ce que nous appelons l'avenir…* »

De retour dans l'allée, nous avons retiré nos sandales et Kanzaki Roshi a pris les devants et a fait glisser le panneau servant d'entrée à l'une des pièces qui donnaient sur le jardin. « Avant que vous partiez, peut-être trouverez-vous utile de profiter d'un petit moment de *zazen* ?

— J'aimerais ça », ai-je dit.

— Commencez par une séance d'une demi-heure – vous entendrez un coup de gong. Après ce moment en position assise, levez-vous et pratiquez le *kinhin*, la marche méditative, jusqu'à ce que vos jambes soient dégourdies et que vous soyez prêt à vous rasseoir. Augmentez graduellement la durée de votre position assiste jusqu'au soir. » *De toute manière, je n'ai aucun autre endroit où aller*, ai-je pensé, heureux de cette occasion.

Avant que le *roshi* me laisse, je lui ai demandé : « Avez-vous d'autres conseils à me donner sur la façon de bien méditer ?

— Deux choses seulement, a-t-il répondu. Vous devez avoir une bonne posture. Et vous devez mourir. » Il m'a tourné le dos et est sorti silencieusement de la pièce.

J'aimerais pouvoir dire que je suis arrivé à chasser toutes les pensées de mon esprit, mais les derniers mots du *roshi* ont eu l'effet contraire.

Comment mourir ? ai-je ruminé. *Est-ce cela qu'il entend par bonne posture ? Peut-être est-il encore dans les parages…* J'ai résisté à la tentation d'ouvrir les yeux, de regarder autour de moi, de renoncer.

J'ai imaginé les moines qui étaient assis non loin dans une immobilité absolue, n'ayant rien d'autre que le ciel au-dessus de leurs épaules, expérimentant la pensée sans pensée, ou *mushin*, comme avait dit Kanzaki Roshi. Pendant ce temps, un véritable Disneyland a dansé un ballet dans ma tête. J'ai fait de mon mieux pour ne pas bouger ni m'impatienter, même lorsque mon nez me piquait. Même lorsque j'ai eu envie d'éternuer. *Non!* ai-je pensé. *Tu ne dois pas éternuer!* Pas d'éternuement, pas d'éternuement, pas d'éternuement, me suis-je répété alors que cela devenait de plus en plus urgent. Je me suis mis à suer sous l'effort de cette résistance. *Posture... mourir – mais que cela peut-il bien vouloir dire? Je ne suis bon à rien! Si Socrate pouvait me voir dans cet état d'esprit – pourquoi m'a-t-il* même pris comme élève?

Inspiration et expiration, réception et relâchement. Inspiration, pénétration de l'esprit. Expiration, abandon. Encore et encore, j'ai orienté mon attention sur ma respiration, uniquement ma respiration...

C'est ainsi que je suis graduellement resté assis plus longtemps; pendant les interludes bien mérités, je me levais et je m'adonnais à une marche méditative, lente et consciente, attentif au transfert de mon poids d'un pied sur l'autre pendant que j'avançais, passant du plein au vide, à la manière du taï-chi. Après avoir complété un tour de salle, je me rassoyais, les yeux mi-clos.

Juste avant l'aube, j'ai entendu six coups de gong. J'ai lentement levé les yeux que j'avais gardés fixés sur le tatami. Je ne peux pas vraiment expliquer ce qui est arrivé ensuite, mais j'ai alors cligné des yeux, encore et encore, devant la silhouette familière qui se trouvait devant moi.

Socrate? ai-je dit.

Il était assis là, souriant, tout comme dans la chambre d'hôtel. Il s'est levé, s'est gratté le visage et a fait glisser un panneau, laissant entrer la lumière.

34

Pendant que je l'observais, Socrate s'est agenouillé à la manière japonaise. Vêtu d'un pantalon *hakama* noir et d'une veste *uwagi* de coton blanc, il paraissait plus âgé, vénérable, éthéré. Et pourtant, son regard était toujours aussi pétillant. Je me suis rappelé tous ces moments que nous avions passés ensemble ; toutes ces années comprimées dans ce qui me semblait une absence totale de temps.

« Salut, fiston, a-t-il dit. En retard, comme d'habitude. Y a-t-il quelque chose dont tu aimerais me parler ? »

Je n'avais pas besoin d'y être invité. Je lui ai raconté ce qui avait été ma vie depuis notre dernière rencontre – mon mariage raté, ma fille qui me manquait, mon séjour auprès de Mama Chia dans la forêt tropicale, ma découverte du petit samouraï et de sa lettre, et plus tard du journal. J'ai décrit Ama et Papa Joe, qui l'avaient aidé il y avait si longtemps, ainsi que le garçon qui était devenu Joe Loup

Pisteur. Je lui ai raconté mes voyages à Hong Kong et en Chine, et je lui ai parlé de Hua Chi, de Mei Bao, de maître Ch'an, de Chun Han et de mes élèves.

J'ai ensuite mentionné le journal que Nada – Maria – avait confié à ses soins. Alors que je me levais pour aller le chercher, il m'a fait signe de ne pas bouger.

« Inutile. Continue, je t'en prie. »

Je lui ai donc décrit ce qui s'était passé depuis mon arrivée au Japon – l'excursion dans la forêt d'Aokigahara qui m'avait conduit jusqu'à Kanzaki Roshi et à l'instant présent.

Je lui ai demandé conseil. « Je n'arrive pas à me défaire d'un sentiment d'irréalité, Soc – comme si j'étais prisonnier d'un rêve, comme si j'étais au bord d'un précipice, hanté encore une fois par le sombre spectre de la mort. »

Il n'a rien dit, les yeux toujours fixés sur moi. Jusqu'à ce que, finalement, il prononce ces quelques mots : « Nous nous reverrons peut-être, quand tu seras prêt.

— J'ai déjà entendu ça, ai-je dit d'un ton irrité. Prêt pour quoi ?

— Pour la mort. Pour la vie. Pour tout ce qui pourrait advenir.

— Soc, nous sommes en face l'un de l'autre, maintenant. N'est-ce pas ton moment préféré ? »

Dans le silence qui a suivi, j'ai eu le sentiment que nous ne nous étions jamais quittés, ce qui était vrai en un sens. Mais il avait changé, je ne sais comment. Ou peut-être était-ce moi.

Lorsque j'ai levé les yeux, le corps de Soc s'est mis à scintiller et s'est transformé pour devenir le spectre de la mort au capuchon noir. J'ai fermé les yeux pour chasser cette vision. Lorsque je les ai rouverts, c'est Kazanki Roshi qui était sereinement assis devant moi, vêtu comme Socrate l'avait été. Sidéré, j'ai balbutié : « Comment – depuis combien de temps êtes-vous assis là ? Avons-nous parlé ?

— Vous avez parlé. Je suis resté assis.

— Mais il m'a dit des choses – il était là… »

Le *roshi* s'est levé. « Je vous en prie, Dan-san, poursuivez votre méditation. »

Me levant moi aussi, j'ai traversé la pièce en chancelant. J'ai trouvé de l'eau froide dans un pichet et j'ai bu. Je me sentais encore plus agité que la veille.

Lorsque j'ai repris la position *zazen*, je me suis efforcé de trouver une posture détendue, droite, « incliné ni vers l'avant, l'avenir, ni vers l'arrière, le passé », comme Socrate me l'avait dit un jour. J'étais tellement sûr qu'il avait été là quelques instants auparavant. *J'aurais aimé pouvoir lui parler de ce que j'ai écrit. Même si son apparition n'était qu'une illusion.*

Une illusion comme le soi, comme la mort, ai-je pensé – me ramenant à ce que Kanzaki Roshi m'avait dit. *Pourquoi dois-je mourir pour bien méditer ?*

Et dans le silence, une réponse est apparue : vivant, je demeure attaché aux affaires du monde, engagé sur un tapis roulant où défilent plans, questions et pensées. Pour le défunt, il n'y a plus d'attaches. Il n'y a plus rien à faire, à accomplir, à comprendre.

Je me suis rappelé la posture de yoga *shavasana*, la posture du cadavre, qui complète celle que l'on appelle *asana*. Cette posture se veut plus qu'un exercice de relaxation. *Mais que signifie cet abandon de tout ce qui compose la vie ? À quoi dois-je renoncer pour mourir ?* Ces questions étaient devenues des graines qui, lorsqu'elles seraient semées plus profondément, commenceraient à croître et à produire leurs fruits. Bientôt, je me suis trouvé plongé dans une méditation spontanée. Contrairement à la position assise, celle-ci a donné lieu à des révélations. Elles ont déferlé dans mon esprit et n'ont pris réellement forme que lorsque je les ai plus tard couchées sur papier.

Tout a commencé lorsque mon corps s'est mis à exhaler l'obscurité et à inhaler la lumière, jusqu'à ce que mon enveloppe charnelle se remplisse d'une lueur bleu et blanc étincelante...

Ensuite est venu le vif désir de tout abandonner, de revenir à ce que j'étais avant même d'être conçu, de mourir pendant que je vivais, de lâcher prise, de renoncer à tout et de faire l'expérience de la mort, en commençant par...

Le temps n'existe plus. Le passé et l'avenir s'évanouissent pendant que j'abdique devant la mémoire et l'imagination. Le présent seul demeure.

Les objets n'existent plus. Toutes mes possessions disparaissent : jouets, outils, souvenirs, vêtements. Tout ce que je possède, tout ce que j'ai gagné, collectionné ou acheté. Je laisserais le monde comme j'y étais arrivé. Nu.

Les relations n'existent plus. Je dis adieu à tous les êtres humains et à tous les animaux que je connais ou que j'ai connus : membres de ma famille, amis, collègues, connaissances, animaux de compagnie de mon enfance... À tous ceux que j'aime, et qui m'ont aimé. Tous disparaissent. À partir de là, je suis seul.

L'action n'existe plus. Je renonce à la capacité de bouger, de parler, d'agir, d'influencer, d'accomplir... il n'y a plus ni tâches ni responsabilités... plus rien à compléter ni de projet à mener à terme, car mon corps est devenu aussi inerte que du bois.

L'émotion n'existe plus. Les couleurs des sentiments tournent au gris... il n'y a plus ni joie ni chagrin, ni peur ni courage, ni colère, ni sérénité, ni passion, mélancolie ou allégresse, car mon cœur et mon corps tout entier se sont transformés en pierre.

Maintenant, tous mes sens me quittent, un à un :

Je ne goûte plus rien. Le pouvoir des saveurs s'estompe... plus d'aliments, plus de boissons, ni les lèvres de l'être aimé pour stimuler la langue ou le palais avec douceur ou piment.

Je ne sens plus rien. C'est la fin de toutes les odeurs et de tous les arômes... de la nourriture et des fleurs... je dis adieu au parfum de l'être aimé, de la maison et du cœur, et à celui du monde naturel.

Je ne vois plus rien. Les images perdent de leur netteté, et puis il n'y a plus rien à regarder... la beauté des paysages, les couleurs du soleil qui se lève ou se couche, les formes sensuelles du monde, les teintes et les textures, la lumière et l'ombre – tout se fond dans l'obscurité.

Je n'entends plus rien. La capacité d'entendre de la musique et des voix, le chant des oiseaux, le froissement des feuilles ou de la soie, les carillons éoliens, les rires, le tonnerre, les bruits de la ville – tout glisse dans le silence, même les battements de mon cœur alors que le sang circule toujours dans mes veines.

Je n'éprouve plus rien. C'est la fin de la douleur ou du plaisir, de la chaleur et du froid... je ne sentirai plus jamais contre la mienne la peau de l'être cher, car toutes mes terminaisons nerveuses perdent leur sensibilité.

Sans le temps, sans objets, relations, actions, émotions, et sans les sens du goût, de l'odorat, de la vue, de l'ouïe ou du toucher, que reste-t-il? Les ténèbres, le silence.

Le moi n'existe plus. J'ai le sentiment de ne plus être une entité, de ne plus avoir de corps... le dernier fil qui me reliait à un moi intérieur a été rompu... Trouver le centre du paradoxe, lâcher prise devant tout ce qui n'a jamais vraiment existé. S'effacer, devenir transparent, en état d'apesanteur, s'évaporer, disparaître. Seule la Conscience demeure. Et la Terre continue de tourner, sans moi.

35

Le son du gong m'a ramené à la réalité dans une pièce baignée de silence. Il m'a fallu quelques instants pour me rappeler où j'étais, qui j'étais. Ayant renoncé à l'ensemble des expériences, relations, sensations et souvenirs qui composaient ma vie, j'aurais pu éprouver un sentiment doux-amer de tristesse. Mais non, c'est comme si je renaissais. Dès que j'ai ouvert les yeux, les dons de la vie ont resurgi en moi.

J'avais un passé à me remémorer et un avenir à imaginer ! Je pouvais apprécier les objets et mes possessions sans y être aussi attaché qu'avant. J'avais des êtres chers, des amis, des collègues et d'innombrables connaissances avec qui passer de bons moments. Je pouvais éprouver tout au fond de moi des sensations changeantes, créées par le temps qu'il fait, par les saisons. Je pouvais savourer les délices de la nourriture et des boissons, sentir les odeurs, voir un monde fait de lumière et de couleurs, entendre une symphonie de sons, et interagir avec les gens et le monde autour de moi par le biais du toucher. *C'était ça, être vivant.*

Alors que je m'assoyais dans la pièce silencieuse, je me suis rappelé une histoire que Socrate m'avait racontée à propos d'une grande tortue qui nageait dans les profondeurs des sept mers, ne refaisant surface pour respirer qu'une fois tous les 100 ans. « Imagine un anneau de bois, avait-il dit, flottant à la surface de l'un de ces vastes océans. Quelles sont les chances que cette tortue passe la tête justement au centre de cet anneau lorsqu'elle refait surface ?

— Une sur un billion, je suppose – soit pratiquement aucune chance.

— Considère que les chances de naître en tant qu'être humain sur la planète Terre sont encore plus infimes. »

Et quelles sont les chances, ai-je pensé, que je sois ici, maintenant, dans un temple zen, à Kyoto, au Japon, sur la planète Terre, jouant le rôle étrange de Dan Millman pendant une durée limitée ?

Ce soir-là, Kanzaki Roshi et moi avons tranquillement partagé un repas avant son départ. Il m'a proposé de passer une autre nuit au temple des trois samouraïs.

Juste avant de me coucher, j'ai remis le journal de Soc et mon carnet dans mon sac à dos et j'ai plié mes vêtements en vue de mon retour à la maison. Et, songeant à ma fille, j'y ai soigneusement calé la poupée kachina.

Le lendemain matin, après un petit-déjeuner léger, j'ai trouvé une voiture qui m'a ramené à Osaka, et à l'aéroport.

Alors que le jet s'élevait dans le ciel nocturne, des éclairs ont zébré les nuages au-dessous de l'appareil. Encore une fois, je me retrouvais entre ciel et terre. Je rentrais chez moi.

ÉPILOGUE

Avant d'atterrir en Ohio et de retrouver ma fille, mes cours, et les convenances de la vie quotidienne, j'ai entendu la voix de Soc aussi clairement que s'il avait été assis sur le siège libre à côté de moi. Je pouvais presque le voir du coin de l'œil et sentir sa main sur mon épaule pendant que ses paroles résonnaient dans mon esprit : « Tu t'attendais à trouver une école cachée en Orient, Dan, et c'est donc là que je t'ai envoyé. Mais tu comprends maintenant que l'école cachée se trouve dans toutes les forêts, dans tous les parcs, dans toutes les villes, partout où tu regardes au-delà de la surface des choses. Il suffit de te réveiller et d'ouvrir les yeux. »

Socrate m'avait envoyé à la recherche d'une école de la vie dans un lieu précis afin que je comprenne qu'elle se trouvait partout – que je réalise finalement que la promesse de la vie éternelle est à la portée de tous – qu'elle ne se trouve pas de l'autre côté, après la mort, mais ici et maintenant, dans l'éternel présent.

Le rapport que j'ai adressé au doyen et au comité de mon établissement d'enseignement a été bien reçu. Au cours des mois qui ont suivi, j'ai partagé quelques révélations avec des amis et des collègues que cela intéressait, gardant à l'esprit la sagesse du grand saint Ramana Maharshi qui a dit un jour : « Je donne aux gens ce qu'ils veulent afin que, un jour ou l'autre, ils veuillent ce que je veux leur donner. »

En décembre, à la fin du trimestre, j'ai quitté mon poste à la faculté. Ma femme, ma fille et moi sommes retournés vivre dans le nord de la Californie. Une fois qu'elles ont été installées, j'ai loué un petit appartement non loin et j'ai vécu dans la solitude.

Les mois ont passé. L'hiver a fait place au printemps. Et puis, un soir d'été, j'ai ouvert mon porte-monnaie et j'en ai tiré la carte professionnelle de Soc. Au recto, les mots Paradoxe, Humour et Changement, dont les caractères s'estompaient, avaient maintenant une nouvelle signification et une nouvelle profondeur à mes yeux. J'ai tourné la carte. À ma grande surprise, j'y ai découvert quatre mots, et une série de chiffres. Intrigué, j'ai lu : « Lac Edison, côté sud ». J'avais déjà visité cette région en faisant de la randonnée à l'est de Merced, dans la forêt nationale de Sierra.

Est-ce l'écriture de Soc ou la mienne ? me suis-je demandé. Avais-je été somnambule, avais-je ouvert mon porte-monnaie et écrit ces mots ? Le message était-il lié à ma rencontre, réelle ou imaginaire, avec Socrate à la fin de mon séjour au Japon ?

Et il y avait cette série de chiffres : « 8-27-76 ». Le 27 août, dans quatre jours. D'une manière ou d'une autre, je sentais que cela annonçait la fin d'un long voyage. Ou cela représentait-il ma fuite vers Samarra? Le spectre au capuchon noir m'attendait-il, ou aurais-je une vision de la vie éternelle? J'ai entendu la voix de Soc dans ma tête : « La Conscience ne réside pas *dans* le corps, Dan ; le corps est dans la Conscience. Et *tu* es cette Conscience... Lorsque tu fais le vide dans ton corps, tu es heureux et satisfait et libre... L'immortalité t'appartient *déjà*. »

Ce soir-là, quelque part dans le monde labyrinthique du rêve, une déchirure s'est faite dans la doublure du temps et de l'espace. Il en a émergé une vision de mon avenir, une simple possibilité.

Mon corps s'est mis à trembler, et je suis tombé à la renverse dans l'espace. À des centaines de mètres au-dessus d'une mosaïque colorée de vert et de brun, mes bras se sont tendus vers l'horizon. Le vent me portait. J'étais, encore une fois, un point de conscience flottant sur un coussin d'air entre ciel et terre. Une forêt est apparue en bas, je m'en approchais et des formes devenaient distinctes – une grange et des champs et un ruisseau qui coulait derrière un pavillon blanc. J'aspirais à remonter, à me retrouver loin d'un monde fait de gravité et de mortalité. Mais je tombais du ciel, je me dirigeais vers une plage de sable blanc que léchaient les flots bleus de l'océan. Je tombais en vrille et le bruit du vent qui tourbillonnait autour de moi s'est transformé en hurlement. Et puis, le silence absolu, alors que je passais à travers la Terre et m'élançais à nouveau vers le haut dans la nuit pendant que des sphères lumineuses s'amalgamaient pour former un tunnel de lumière...

La lumière est devenue un feu de camp crépitant qui illuminait le visage de mon vieux mentor, assis dans une clairière au milieu de la forêt. Il m'avait attendu pendant tout ce temps. Ses yeux brillaient. Des étincelles montaient dans le ciel nocturne et se transformaient en étoiles.

REMERCIEMENTS

L'écriture d'un bon livre n'est jamais l'œuvre d'un seul homme ou d'une seule femme. Sans le soutien de Stephen Hanselman, mon agent littéraire, de Michele Martin, mon éditrice, de Diana Ventimiglia, ma dynamique réviseure, de toute l'équipe de North Star Way, une marque de Simon & Schuster, ainsi que de tous mes premiers lecteurs – Ned Leavitt, Alyssa Factor, David Cairns, Holly Deme, Peter Ingraham, Ed St. Martin, Dave Meredith, David Moyer et Martin Adams –, cet ouvrage n'aurait jamais vu le jour.

Un merci tout spécial à mon épouse, Joy, qui a lu mes nombreuses ébauches et m'a donné de précieux conseils tout au long de la finition du manuscrit. Et merci à notre fille, l'auteure Sierra Prasada : ses conseils m'ont permis de créer un récit plus cohérent. Et merci à la réviseure pigiste avec qui je collabore depuis longtemps, Nancy G. Carleton, qui a ajouté la touche finale.

Je remercie également les personnes suivantes pour leurs idées et leurs suggestions : Clark Bugbee, Reb Anderson Roshi, Linda Badge, Mickey Chaplan, Annie Liou, Takashi Shima et Harumi Yamanaka. Scott Meredith, auteur et professeur de taï-chi, m'a été d'un précieux secours en ce qui a trait aux aspects liés à l'énergie intérieure et à l'histoire du taï-chi.

Comme toujours, j'offre amour et gratitude à mes parents disparus, Herman et Vivian Millman, qui continuent à m'inspirer avec leur exemple et leur mémoire.

Les ouvrages suivants m'ont apporté perspective et inspiration : *Knocking on Heaven's Door* de Katy Butler ; *Mourir : réflexions sur le dernier chapitre de la vie* de Sherwin Nuland ; *The Final Crossing* de Scott Eberle ; *Autumn Lightning* de Dave Lowry ; *The Professor in the Cage* et *The Storytelling Animal* de Jonathan Gottschall ; *Zen and Japanese Culture*, *Zen and the Samurai* et *Final Journey* de D. T. Suzuki ; *From Here to Here* de Gary Crowley ; *Free Will* de Sam Harris ; *On Mortality* de Atul Gawande ; *Do No Harm* de Henry Marsh ; *The Self Illusion* de Bruce Hood ; *When Breath Becomes Air* de Paul Kalanithi ; *Life and Death in Shanghai* de Nien Cheng ; *Chroniques de mon crématorium* de Caitlin Doughty ; *The Way of Zen* de Alan Watts ; *How to Sit* de Thich Nhat Hanh ; *On Death and Dying* de Elisabeth Kübler-Ross ; et *La mort d'Ivan Ilitch* de Léon Tolstoï.

SI L'ÉCOLE DE LA VIE VOUS A PLU…

Découvrez le prochain défi
de Dan Millman (en anglais)
et plus d'informations au sujet
de son œuvre sur :

PeacefulWarrior.com

Papa Joe's Riddles : Quest for the Golden Keys

Obtenez les sept clés qui permettent de franchir
le portail en résolvant les énigmes. Lorsque la porte
s'ouvrira, vous aurez accès à une vidéo gratuite
que vous pourrez télécharger.

Votre quête commence avec un clic ;
résolvez les énigmes pour trouver le trésor !

http://www.peacefulwarrior.com/riddles/

QUELQUES ÉLOGES

« C'est avec doigté et maîtrise que *L'École de la vie* de Dan Millman transformera la façon dont nous traversons les événements qui composent notre quotidien, nous donnant la possibilité de découvrir leur magie cachée tout en ravivant la flamme de notre essence mystique. »

— MICHAEL BERNARD BECKWITH,
auteur de *La Libération spirituelle*

« Avec ce récit fascinant, Dan Millman nous entraîne à la recherche du secret de la vie éternelle. Il se déplace aisément entre deux mondes, se servant de ses périples comme d'une métaphore pour illustrer sa quête spirituelle, ce qui nous divertit en plus de nous pousser à la réflexion. *L'École de la vie* fait penser aux aventures de Carlos Castaneda et à la mystérieuse quête que relate *Le Code da Vinci*. Cet ouvrage qui est à la fois distrayant et provocateur vous tiendra en haleine. Si vous n'emportez qu'un livre lors de vos prochaines vacances, choisissez celui-ci. »

— RON BOYER, auteur lauréat de prix, poète et scénariste

« Le nouvel ouvrage de Dan Millman, *L'École de la* vie, me rappelle la magie et le mystère qui imprègnent *Le Guerrier pacifique*. Cette aventure pleine de suspense, souvent humoristique, nous indique la voie de notre propre lumière, de notre propre musique, de notre but ultime. Lorsque j'ai souffert du syndrome de fatigue surrénale à Tahiti en 1986, *Le Guerrier pacifique* m'a littéralement sauvé la vie. Ne lâchez pas, Dan. Je serai toujours là, avec vous et pour vous. Merci, mon frère. »

— QUINCY JONES, musicien gagnant de plusieurs Grammy Awards, producteur, acteur et humaniste

« La conclusion de la saga transformatrice du *Guerrier pacifique* de Dan Millman valait amplement l'attente. Cette quête fascinante dans des lieux exotiques rappelle aux lecteurs ce que signifie suivre une voie spirituelle dans le monde moderne. Lors de son voyage, Dan Millman rencontre des personnages mémorables et relève des défis de taille en cheminant vers la sagesse et la paix intérieure. C'est un livre qui s'adresse à quiconque s'intéresse au sens global de la vie et à ses courants profonds. »

— WILLIAM BERNHARDT,
auteur du best-seller *Challengers of the Dust*

« *L'École de la vie* renferme de merveilleuses leçons qui bousculent notre perception de la réalité et nous poussent à vivre une vie plus inspirée. »

— AMY SMART, actrice et activiste

———※———

La saga du Guerrier pacifique – *Où se situe l'École de la vie…*

Bien que vous lisiez ou non la trilogie complète, sachez que chaque ouvrage de cette trilogie est complet en soi et qu'ils vous procureront tous de merveilleuses leçons qui risquent de bousculer votre perception de la réalité et vous pousser à vivre une vie plus inspirée.

Voici un tableau chronologique pour vous aider à comprendre où se situe *L'École de la vie* dans cette saga.

———※———

Dans *Le Guerrier pacifique* (J'ai Lu), il y a un moment où, juste avant le dernier chapitre, mon vieux mentor Socrate m'envoie dans le monde pour y apprendre les leçons de la vie. Au fil de quelques brèves pages, je me marie, je deviens père, et puis entraîneur et professeur à l'université. Ensuite, pendant encore quelques pages, je fais référence à des voyages autour du monde, mais sans donner de détails sur mes aventures. J'ai écrit *Le Voyage sacré du Guerrier pacifique* et *L'École de la vie* pour raconter ces voyages.

L'École de la vie en particulier, relate les expériences transformatrices qui me préparent à la mort, à la renaissance et à l'éveil, dont il est question dans le dernier chapitre du *Guerrier pacifique*.

Donc, l'action des deuxième et troisième ouvrages de cette saga se déroule *pendant* la période dans laquelle s'inscrit mon premier livre. Alors, si vous souhaitez lire ou relire la saga en entier, je vous propose l'ordre « chronologique » que voici :

1. Lisez *Le Guerrier pacifique* jusqu'au moment où Socrate m'envoie au loin, juste avant le dernier chapitre – et puis posez le livre (si vous en êtes capable !).

2. Lisez *Le voyage sacré du Guerrier pacifique* (J'ai Lu).

3. Lisez *L'École de la vie* qui relate ma transition d'étudiant à chercheur, à professeur, puis écrivain.

4. Reprenez *Le Guerrier pacifique* là où vous l'avez laissé, et lisez le dernier chapitre et l'épilogue, qui complètent la saga.